ERIK VOGLER

Y LOS CRÍMENES DEL REY BLANCO

ERIK VOGLER

Y LOS CRÍMENES DEL REY BLANCO

BEATRIZ OSÉS

edebé

© Beatriz Osés García, 2014
© de la edición: Edebé, 2014
Paseo de San Juan Bosco 62
08017 Barcelona
www.edebe.net

Atención al cliente: 902 44 44 41
contacta@edebe.net

Diseño de la colección: BOOK & LOOK
Ilustración de portada: Iban Barrenetxea

22.ª edición

ISBN 978-84-683-1284-2
Depósito Legal: B. 13818-2014
Printed in Spain

A mi padre.

ÍNDICE

Capítulo I

El billete equivocado

Erik Vogler no podía sospechar lo que iba a ocurrir aquella noche. Se había pasado varias horas preparando su equipaje. Ordenó sus calcetines de lana virgen por colores, las chaquetas según el grosor y varios pantalones teniendo en cuenta su antigüedad. Después colocó, en uno de los laterales de la maleta, un diminuto costurero de viaje junto con un estuche de piel, en el que había todo lo necesario para abrillantar sus zapatos. Sobre la cama, aguardaban dos cinturones perfectamente enrollados, varias camisas de seda y una bolsa de aseo. Durante unos instantes, Erik contempló su obra con orgullo. Pero, mientras doblaba los calzoncillos recién planchados, alguien llamó a su habitación.

—Humm…, ¿se puede? —titubeó su padre asomando la cabeza por la puerta del dormitorio.

—Sí, pasa, pasa —contestó Erik invitándole a entrar—. Todavía no he terminado.

—¿Qué tal vas? —preguntó con timidez.

—Ya me falta poco. Pero me gustaría organizar las camisas por orden alfabético.

—¿Por orden alfabético?

—Sí, según la marca del fabricante o por el tejido. Aún

no lo tengo muy claro. Por cierto, ¿te has informado de qué temperatura hará mañana en Nueva York?

—De eso quería hablarte, hijo… Verás, ha surgido un pequeño contratiempo con el viaje.

—¿Qué ocurre? —preguntó el joven cerrando una de las cremalleras del interior de la maleta.

—Verás…, ¿recuerdas que saqué los billetes de avión por Internet hace un par de meses?

Erik asintió con la cabeza mientras se sentaba en una de las butacas de la habitación. Esa noche llevaba un pijama de cuadros escoceses y unas pantuflas a juego que le había regalado su tío en uno de sus viajes a Edimburgo. Miró a su padre en silencio. No adivinaba adónde quería llegar con aquella pregunta. Frank Vogler cruzó sus brazos sobre el pecho, tragó saliva y dudó un momento. Después, aclaró su garganta y tomó aire.

—Pues… me equivoqué con las fechas cuando hice la compra —soltó de golpe mirándole a los ojos.

No podía ser cierto. Debía de tratarse de una broma de muy mal gusto, cruel. Pero Frank Vogler asintió con la cabeza ante la expresión interrogante de su hijo. Entonces, el joven dejó caer al suelo la bufanda de cachemir que sostenía entre sus manos.

—¿Cómo? —se atrevió a preguntar, y sintió que su pulso empezaba a acelerarse.

—Los compré, por error, para el mes pasado. Debí de confundirme al seleccionar las fechas y me he dado cuenta esta mañana al imprimirlos —confirmó su padre después de morderse el labio inferior como hacía cada vez que tenía que dar una mala noticia.

—No puede ser, no puede ser… —repitió Erik en voz baja intentando contener sus nervios.

—Así que me he pasado toda la tarde buscando otros billetes. Pero solo he podido conseguir una plaza libre en nuestro vuelo –se lamentó Frank.

–No te entiendo.

–Quedaba un único asiento –repitió su padre.

–¿Y?

–Lo compré para mí –confesó avergonzado.

–Bueno, no pasa nada, podría tomar el siguiente vuelo –sugirió intentando no parecer desesperado– y nos encontraríamos en el aeropuerto de Nueva York, o podría tomar un taxi que me llevara hasta el hotel. Seguro que hay alguna solución.

–No la hay –le interrumpió su padre.

–…Voy a consultar los horarios en Internet y buscaré otro billete ahora mismo. No me importa viajar en clase turista si es necesario –añadió con un hilo de esperanza.

–Erik, no lo comprendes, mañana empiezan las vacaciones y, por desgracia, todos los vuelos están completos. Ya lo he comprobado varias veces y no queda ninguna plaza. Es demasiado tarde. Me temo que esta vez no podrás venir conmigo a Nueva York.

–…Pero, ¿qué estás diciendo? –preguntó desconcertado mientras se levantaba, como un resorte, de la butaca.

–No te preocupes, hijo, ya habrá otra ocasión, te lo prometo –trató de consolarlo–. Lo siento mucho.

–¡¡¡Lo sabía!!! ¡¡¡Te lo dije!!! –gritó histérico–. ¡Los debía haber sacado yooo! Tenía ya TODO calculado, papá, había apuntado en mi agenda diferentes recorridos que podíamos hacer por la ciudad, una lista de restaurantes y museos recomendados, me sé de memoria las principales estaciones de metro de Nueva York… ¡Y mira, mira! –dijo abriendo con furia algo que parecía un mapa turístico y desplegándolo delante de sus narices–. También había numerado los monumentos de la ciudad según su fecha de construcción

para organizar nuestra visita. ¡Lo había planificado al milí-
metro! ¿Qué va a pasar ahora, eh? ¿Me lo puedes decir?
¿Qué se supone que voy a hacer durante mis vacaciones de
Semana Santa? ¿Me dejarás aquí solo en Bremen?

—No. Te vas a quedar con la abuela —contestó.

—¿Estás hablando en serio?

—Irás a Grasberg hasta que yo regrese —sentenció su padre.

Erik se desmayó allí mismo, sobre la alfombra árabe que
le trajo su tío de Marruecos. En su mano sostenía el mapa
de Nueva York en el que había trabajado durante mucho
tiempo. Cuando despertó en mitad de la noche, estaba tendido en su cama, bajo su edredón nórdico, cubierto por un
sudor frío y con el corazón destrozado. Eran las cuatro de la
madrugada y ya no volvió a conciliar el sueño hasta que
amaneció.

Capítulo II

Lejos de Nueva York

Cuando Erik entró en el coche de su padre para dirigirse a casa de su abuela, en lugar de a Nueva York, supo que su pesadilla había comenzado. Frank lo observaba por el rabillo del ojo, a través del espejo retrovisor. El chico llevaba el pelo engominado, con raya al lado, brillante y oscuro. Se había creado un enorme silencio entre ellos, que solo rompían las gotas de lluvia sobre los cristales. Salieron de la ciudad muy temprano.

Frank notaba, de vez en cuando, la mirada desafiante de su hijo y se sentía culpable. Era consciente de que tardaría mucho en perdonarle. Así que, para apartarse de aquellos pensamientos, sintonizó la radio buscando las noticias de aquella mañana de abril.

—Ha sido hallada muerta la joven desaparecida la semana pasada en el distrito norte de Bremen —informaba una voz masculina—. El cadáver fue encontrado hace menos de una hora, en un parque a las afueras de la ciudad de Hamburgo. Por el momento, la policía no tiene ningún sospechoso del crimen. El inspector Gerber, encargado del caso, no ha querido hacer declaraciones ante los rumores que relacionan este asesinato con los de otros dos jóvenes desaparecidos en Bremen en los últimos meses.

Erik se revolvió en su asiento, incómodo.

—¿No puedes poner otra cosa? —protestó frunciendo el ceño y mirando a través de la ventanilla.

Su padre buscó en el dial una emisora de música clásica. Llovía con más fuerza sobre el automóvil. Con la sexta sinfonía de Beethoven de fondo, se alejaron al fin de la ciudad y tomaron la carretera que los conduciría a Grasberg, el pueblo donde vivía su abuela.

Berta Vogler no podía soportar a su nieto. Lo había intentado en más de una ocasión, pero era algo superior a sus fuerzas. No aguantaba sus manías, ni su obsesión por la limpieza, ni esa voz de sabelotodo, ni la forma tan cursi que tenía de sonarse los mocos desde pequeño. Por eso, cuando la tarde anterior recibió la llamada de su hijo, Frank, anunciándole que se quedaría con ella durante la Semana Santa, sintió una oleada de sangre en las mejillas y se llevó la mano al corazón para evitar que se le saliera del pecho. Respiró hondo e intentó tranquilizarse antes de darle una contestación.

—Pero, hijo mío, si sabes que a mí no se me da muy bien cuidarlo y, además, hace mucho tiempo que no viene a visitarme.

—Ya, ya…

—No creo que sea una buena idea —se excusó mientras se dejaba caer en un sofá cubierto de polvo.

—Por eso mismo, mamá, por eso mismo. Ahora tenéis la oportunidad de conoceros mejor.

—¿Es que ya no recuerdas lo que sucedió la última vez que vino a mi casa? —se hizo un silencio al otro lado del teléfono—. ¡Y eso que solo estuvimos una tarde juntos, imagínate una semana!

—Bueno, han pasado casi tres años desde entonces y Erik ha cambiado mucho, mamá…

−¡No intentes engañarme!… Estoy segura de que sigue siendo un verdadero plomo.

−Por favor, por favor −le rogó Frank agarrándose al cable del teléfono y bajando la voz todo lo posible−, sabes que no te lo pediría si no fuera una emergencia. Me equivoqué con la compra de los billetes y ahora no sé qué hacer.

−Yo no me veo capaz de hacerme cargo, hijo.

−¡Por favor!

−Que no, que no…

−¡Estoy desesperado! −suplicó.

−¿No puedes contratar a alguien que lo cuide?

−¡No tengo tiempo, mamá! Mira, regreso a Bremen el próximo sábado por la noche e iré a buscarlo el domingo a Grasberg sin falta. ¡Será solo una semana y, ya verás, se os pasará el tiempo volando! −prometió intentando sonar convincente.

−…Está bien. Pero me debes una, una muy gorda.

«Una semana con la abuela, una semana…», mascullaba Erik entre dientes. Lo que equivalía a siete días, ciento sesenta y ocho horas, diez mil ochenta minutos, y seiscientos cuatro mil ochocientos segundos. «¡No podré resistirlo!», se decía en voz baja sin apartar la mirada de la ventanilla del coche. Y, mientras tanto, su padre estaría en lo alto del Empire State o paseando por una avenida de rascacielos o disfrutando de un musical en Broadway. La vida era injusta, tremendamente injusta. Al menos, eso creía el joven aquella mañana.

Sin dejar de darle vueltas a su desgracia, apenas se dio cuenta de que había dejado de llover. Tampoco reparó en que su padre había quitado la música y había vuelto a poner uno de los informativos de la radio, donde no cesaban de hablar del asesinato de Sandra Nadel. Y, mucho menos, vio el letrero que anunciaba la llegada a la localidad de

Grasberg, ni se fijó en las callejuelas que atravesaban dando botes en el coche.

Tenía los ojos llorosos, de rabia e impotencia. A sus quince años recién cumplidos, iba pensando en su mapa de monumentos de Nueva York, en los preparativos que había hecho durante tanto tiempo y, de pronto, aquellas imágenes se mezclaron con el rostro de su abuela, con sus blancas melenas al viento, y no consiguió evitar un escalofrío que le recorrió la espalda.

—¡Ya hemos llegado! ¡Puedes bajar del coche! —anunció de pronto su padre aparcando frente a una casa antigua.

Abrió la portezuela con desgana, salió del vehículo. ¡PLOF! Acababa de pisar un profundo charco que había en la calle.

—¡Mis Lombartini! —exclamó espantado mientras levantaba sus zapatos del agua y se ponía de puntillas.

En ese momento, un gato negro salió corriendo desde la otra acera y se cruzó con él. Al acercarse a Erik, lo miró con sus grandes ojos amarillos y soltó un maullido amenazador.

Capítulo III

En el balcón

Berta y su nieto se contemplaron en silencio una vez que se quedaron a solas en la casa. Estaban de pie, en el salón, uno frente al otro. Él sujetaba su enorme equipaje. Ella sostenía en su regazo una vieja manta de rayas naranjas y rosas de la que brotaban pelotillas.

–Bueno –comenzó la abuela–, te he preparado una de las habitaciones de la planta de arriba. Está haciendo bastante frío en Grasberg, así que no te estorbarán las mantas. Cuando quieras, puedes bajar a desayunar. Si necesitas algo más…

–No, gracias –mintió.

Sí, necesitaba algo más, necesitaba saber qué diantres hacía en aquella casa, cómo Nueva York se había convertido de pronto en un sueño inalcanzable y por qué el pelo de su abuela parecía un revuelto de lana donde lo mismo podías encontrar un tenedor que un rastrillo del jardín.

Berta le acompañó hasta su cuarto después de subir una larga escalera de madera que lanzaba constantes crujidos desde los peldaños, como si en cualquier momento se fuera a derrumbar bajo sus pies. En cada escalón, el chico resoplaba y reunía fuerzas para levantar su maleta.

A continuación, cruzaron un largo y estrecho pasillo,

apenas iluminado, hasta llegar a la última estancia de la casa.

—Espero que te guste tu cuarto. Puedes colocar tu ropa en el armario del fondo, he dejado varias perchas libres… Yo estaré abajo, tengo que trabajar en el sótano, por si quieres cualquier cosa, ya sabes —se despidió al mismo tiempo que le entregaba la manta de rayas y abría la puerta amarilla de su nuevo dormitorio.

—…De acuerdo —murmuró Erik sin atreverse a entrar.

Cuando, por fin, se asomó a la habitación, su abuela ya había desaparecido escaleras abajo y estaba completamente solo. Al contemplar las condiciones en las que se encontraba el dormitorio, abrió los ojos espeluznado. Tan pronto como pudo, sacó un pañuelo, con sus iniciales bordadas, del bolsillo de sus pantalones Passion y se lo llevó a la boca. El cuarto olía a humedad y algo extraño parecía moverse bajo su cama. Dejó a un lado su maleta de piel y la manta de rayas. Después, agarró el perchero que había detrás de la puerta para utilizarlo como lanza. Poco a poco, con gran cautela, se fue acercando al colchón. Comenzaron a sudarle las manos.

Sintió que su corazón se aceleraba a medida que avanzaba un paso más. La madera rechinaba bajo sus Lombartini cubiertos de agua. Inclinó el palo hacia el suelo hasta casi rozarlo. Lo movió en varias direcciones por debajo del lecho como si estuviera a punto de pescar un pez con terribles mandíbulas. Parecía que no hubiese nada allá abajo. Luego fue sacando el perchero despacio, con desconfianza, hasta que el extremo de madera quedó a la altura de sus ojos. «Pero… ¿qué demonios es esto?», pensó.

Y, allí, enredada en la improvisada punta de la lanza descubrió una gigantesca montaña de pelusas marrones que quizá fuera más antigua que la propia casa y que se balanceaba como las algas de los mares oscuros. Sobre la cómoda de ébano del dormitorio, un desafiante búho disecado lo observaba con sus ojos de cristal y las alas abiertas.

Soltó el perchero de golpe y apretó con todas sus fuerzas el pañuelo contra la boca para contener las ganas de vomitar. Corrió hacia una de las ventanas del balcón y la abrió tan rápido como fue capaz. El aire frío de la calle le hizo revivir. «¡Me lo temía, tendré que desinfectar!», se dijo mirando a su alrededor. Menos mal que en su maleta Chantel había traído su kit de limpieza para situaciones desesperadas. Y, aquella, sin duda, lo era.

Sin esperar ni un segundo más, sacó unos guantes de plástico y una mascarilla y se dedicó a limpiar la habitación durante varias horas. Tal y como imaginaba su abuela, solo bajó a la cocina para buscar una escoba y un recogedor. Al pasar por delante de la mesa, vio unas galletas redondas en un plato. Se detuvo un momento. Tenía hambre. «Mejor no probarlas», pensó. La última vez que había intentado morder una galleta cocinada por su abuela perdió un diente y tuvieron que colocarle una prótesis en el dentista. Así que pasó de largo y regresó a su dormitorio.

Cuando terminó de limpiarlo y de colocar el contenido de su maleta, decidió darse una ducha. Frente al espejo del baño, comprobó que, al menos, su peinado seguía impecable. Se echó colonia y se cambió de ropa. Por último, volvió a su cuarto, abrió la puerta del armario y supervisó que todo estaba en orden. Decidió entonces bajar al comedor para reunirse con su abuela.

Al descender por las escaleras, escuchó a Berta canturreando alrededor de la mesa del salón. Estaba sirviendo la comida en dos grandes platos.

—¿Qué hay para comer? —preguntó acercándose con prudencia a una de las sillas.

—Potaje de garbanzos con repollo, zanahorias y patatas cocidas. ¡Mira qué bien huele! —contestó entusiasmada la mujer mientras le arrimaba la cazuela a la nariz.

El joven intentó apartarse, pero resultó demasiado tarde. El tufo de la verdura hervida era tan potente que sintió que perdía el conocimiento. Berta, entretanto, pretendía darle vueltas con un cucharón, aunque el potaje parecía cemento armado. Los efluvios del repollo fueron los últimos recuerdos del joven antes de caer redondo al suelo.

Despertó un rato más tarde, desorientado, sobre el sofá del salón. Tenía encima de las rodillas la manta de las pelotillas naranjas y rosas. Forzado por las circunstancias, aceptó un vaso de leche caliente y rechazó, con una sonrisa de compromiso, las galletas que le ofrecía su abuela.

La tarde se le hizo eterna y la cena fue otro calvario. La abuela apenas habló. La televisión no funcionaba desde que, varios años atrás, un rayo se precipitara sobre la antena del tejado. Erik deseó con todas sus fuerzas que llegara el momento de irse a la cama. Cuando se metió bajo las mantas, recordó con nostalgia su edredón nórdico y la almohada ergonómica que le regaló su tío después de un viaje a Suecia. Tan solo le aliviaba una única idea: «Queda un día menos para regresar a Bremen». Y se aferró a ella ahogando un suspiro.

Aquella noche, la luz de la luna llena penetraba por los cristales del balcón y creaba inquietantes sombras en el dormitorio. Una de las más terroríficas era la del gigantesco búho disecado. Erik imaginaba que, en cualquier momento, podía abalanzarse sobre él y devorarle sin compasión el hígado. Se protegió el cuello con las mantas. Lo pensó mejor. Se tapó hasta la barbilla.

Desde la cama oía el viento en las aceras, a través de las ramas de los árboles, golpeando en las ventanas y colándose por las rendijas de las puertas. También notaba pisadas sobre los peldaños de la escalera. A esa misma hora, crujía el suelo del pasillo bajo los pies de Berta y, por toda la casa, se escuchaba el lento mordisco de la carcoma.

Fue entonces, encogido y tembloroso, cuando sintió que alguien lo observaba desde el balcón. Unos dedos blancos, casi invisibles, golpeaban contra los cristales con insistencia. TAC, TAC. Intentó no mirar en esa dirección. Cerró los ojos con fuerza. Tal vez estuviera ya dentro de una pesadilla. Los abrió lentamente después de unos segundos que se le hicieron interminables. Volvió a escuchar un leve ruido en los ventanales.

Giró su cuello muy despacio. Apenas era capaz de respirar. Al otro lado del balcón, había una joven un poco mayor que él. Su figura brillante flotaba en la oscuridad. Llevaba el cabello largo y ondulado. Su melena se enredaba con el viento de la noche. Durante unos instantes, Erik logró ver su rostro. Tenía unos ojos enormes, sin párpados, que le miraban fijamente…

Capítulo IV

La fotografía del periódico

Erik se quedó paralizado mientras contemplaba, con las mantas cubriéndole la nariz, la imagen que flotaba detrás de los ventanales. Como no sentía nada, ni siquiera los dedos agarrotados con los que se aferraba a la sábana, creyó que se le había congelado la sangre en las venas. Si en ese momento hubiera tenido un espejo en el que mirarse, se habría dado cuenta de que estaba tan blanco como la joven que lo observaba en silencio a través del cristal de la habitación. La silueta de la desconocida se mantuvo durante unos segundos más en el balcón y, de pronto, se desvaneció en el aire.

Una hora después, fue capaz de moverse de nuevo. Primero levantó el dedo meñique de la mano derecha hasta que consiguió separarlo de la sábana. Luego hizo lo mismo con los otros dedos. Seguía acostado, en la misma posición, como un muerto en su tumba, pero no podía evitar el temblor de sus manos y piernas. Un sudor frío le recorría la frente. Se tocó el trasero. Pensó que había faltado muy poco para que se orinara en los calzoncillos. Tras los cristales del balcón, solo se distinguían las ramas de un viejo roble y, a lo lejos, la luna llena recortada sobre el negro de la noche. El viento seguía soplando con furia y unos perros ladraban rabiosos en la finca del señor Lemann.

A la mañana siguiente, mientras el joven se colocaba sus pantuflas de raso, Berta se enrolló al cuello una bufanda roja que había tejido ella misma durante el invierno, se montó en su bicicleta y salió a comprar el periódico. Había empezado a lloviznar y, con las gotas de agua, los enmarañados cabellos de la abuela se electrizaban y se abultaban aún más que de costumbre. Regresó a casa cuando la lluvia arreciaba. Traía la punta de la nariz colorada por el frío y sujetaba el manillar con fuerza, evitando los numerosos charcos de las calles.

En el cuarto de baño, su nieto observaba sus ojeras en el espejo del baño. Tenía el aspecto de un cadáver. Tomó un bote de gel fijador y lo apretó ligeramente. Luego se aplicó la gomina en el pelo y comenzó su ritual de cada mañana. Al bajar por las escaleras, escuchó el ruido de la cerradura de la puerta principal. Su abuela entró disparada, protegiendo el periódico bajo el abrigo y sujetando una bolsa con dulces y bollos de pan recién hechos. Las gotas de lluvia chocaban con fuerza contra los cristales del salón.

—¿Qué tal has dor...? —se contuvo al comprobar su aspecto ojeroso. «¡Madre mía, vaya cara de muerto que trae!», pensó disimulando mientras se desabrochaba el abrigo y lo colgaba en el perchero.

—No muy bien, la verdad. Creo que he extrañado un poco la cama —se excusó él.

—Bueno, no te preocupes, es normal. Esta noche seguro que ya te habrás acostumbrado a tu nueva habitación, ya verás. Mira —añadió para cambiar de tema—, he traído unos bollos de pan para untar con mantequilla o, si lo prefieres, un par de pasteles de ciruela. ¿Me ayudas a preparar el desayuno?

Ambos entraron en la cocina. Ella se puso a calentar la leche en un cazo de metal. Él dispuso los tazones del desayuno sobre una mesa redonda. Los dos se miraban de reojo. La abuela sabía que Erik, con ayuda de su pañuelo de seda, abrillantaba las cucharas a escondidas por debajo del mantel. Y vigilaba la fecha de caducidad de la leche, la mantequilla y la mermelada, a medida que Berta las iba sacando del frigorífico.

Cuando se sentaron para desayunar, ella colocó el periódico sobre la mesa como tenía por costumbre. Estaba doblado y algunas gotas de lluvia se habían estampado sobre la portada. «*Hallan el cadáver de la joven desaparecida en Bremen*», decía uno de los titulares de la primera página. Erik se inclinó sobre el diario con curiosidad. A lo largo de la semana, había escuchado varias veces la noticia de la desaparición de la joven en la televisión. Y el día anterior, mientras iba en el coche con su padre camino de Grasberg, anunciaron en la radio el hallazgo del cuerpo en las afueras de Hamburgo.

Había una foto en blanco y negro acompañando la trágica noticia. Berta tomó en aquel preciso momento el diario entre sus manos. Lo abrió con decisión y desapareció tras sus páginas. El periódico alemán se alzaba como una barrera entre ambos. Erik tuvo que ladear la cabeza y acercarse todo lo posible para observar con más detenimiento la fotografía de la joven asesinada. Entrecerró los ojos para concentrarse en aquella imagen en blanco y negro de mala calidad. Entonces, sintió que un nudo se le hacía en la garganta. No se lo podía creer…

—¿Quieres un poco más de leche? —preguntó de pronto su abuela bajando el periódico.

—…Eh, no, no, gracias.

Su nieto sonrió y aguardó impaciente a que Berta volviera a alzar la portada con la noticia del crimen. La abuela se escondió de nuevo detrás de las páginas del diario. Él clavó su mirada en la imagen de la portada. La foto del periódico mostraba el rostro que había visto aquella misma noche flotando junto al balcón de su dormitorio. No tenía ninguna duda. Se trataba de la chica de los cabellos largos y ondulados que golpeaba los cristales de su habitación sin decir nada. Solo que en la imagen del periódico aparecía sonriente, con un gorro de lana que le cubría parte de la cabeza y un jersey de cuello alto.

Capítulo V

Un fantasma en los talones

Erik tuvo que esperar a que su abuela terminase de hojear el periódico para localizar la noticia que le interesaba. Buscó en las páginas interiores del diario hasta que encontró la sección de sucesos. Se inclinó sobre la mesa de la cocina y comenzó a leer con suma atención: «*Sandra Nadel tenía quince años. Era una joven tímida que vivía con sus padres en Bremen y estudiaba en un instituto de la zona norte. Había desaparecido de su casa una semana atrás y nadie la había vuelto a ver, hasta que ayer encontraron su cadáver en un parque a las afueras de Hamburgo. La habían apuñalado repetidas veces después de atarle las muñecas con una cuerda y amordazarla...*».

Y unas horas después, pensó, el fantasma de aquella joven había aparecido en Grasberg, flotando detrás del balcón de la casa de su abuela. «Pero ¿por qué precisamente ahí?», se preguntó observando de nuevo la fotografía de la chica. No conocía a Sandra Nadel. No albergaba ninguna duda al respecto. Nunca habían coincidido en Bremen, aunque ambos vivían en el distrito norte. Tampoco iban al mismo instituto, ni tenían amigos comunes. Entonces, ¿por qué la había visto durante la pasada noche? ¿Por qué se le había aparecido? Esa era la pregunta que se repetía en su cabeza sin apartar su mirada del periódico. Cuando Berta regresó a la cocina después de un rato, él seguía allí sentado con aire pensativo.

—Abuela —dijo de pronto—, ¿conoces a esta chica? —le preguntó señalando con el dedo la fotografía de la primera página.

—No la he visto en mi vida. Aunque he leído en el periódico que vivía en Bremen…

—Sí, vivía allí. Pero, ¿no recuerdas si alguna vez estuvo aquí? Al fin y al cabo, Grasberg no está tan lejos…

Berta hizo un silencio y tomó el periódico entre sus manos. Apretó los labios y negó con la cabeza.

—No, no recuerdo haberla visto antes. Además, su apellido tampoco me suena y si hubiera tenido un familiar en el pueblo me habría enterado. Estoy segura de que algún vecino me habría comentado la noticia de su desaparición. No he escuchado que nadie la conociera… ¿Por qué me lo preguntas?

—No…, por nada, es que su cara me resultaba familiar, solo era eso… Por cierto, ¿sabes dónde me podría conectar a Internet en Grasberg?

—Creo que en la taberna de Verner, en la plaza. ¿Te acuerdas de cómo llegar hasta allí?

—Sí, sí… Volveré a la hora de comer.

Subió a su dormitorio y sacó un pequeño ordenador portátil de la maleta y un paraguas. Se colocó su impermeable antes de salir a la calle. Seguía lloviendo con fuerza y soplaba un viento desagradable que cortaba la cara. Así que se encogió detrás del mango del paraguas, metió el portátil debajo del impermeable y aceleró sus pasos. Desafortunadamente, solo había traído a Grasberg sus Lombartini. Y los zapatos de piel pronto comenzaron a sufrir los efectos de la lluvia. Cuando llegó a la taberna, notó una ráfaga de calor, mezclada con olor a cerveza y pasteles de carne. Un fornido camarero se le acercó detrás de la barra.

—Buenos días. Una botella de agua mineral sin gas y del tiempo, por favor —pidió acomodándose en un taburete de madera.

El tabernero dejó escapar una sonrisa.

—¿Podría consultar Internet desde mi portátil? Mi abuela me ha dicho que aquí hay conexión…

—¿Y quién es tu abuela si puede saberse?

—Berta Vogler.

—Vaya, vaya…, así que eres el nieto de Berta. ¡Pues claro que puedes conectarte! Espera un momento que te doy la clave.

Erik apuró el tiempo del que disponía hasta la hora de comer. Abrió su correo electrónico y se encontró con un par de mensajes de su padre anunciándole que había llegado bien y que en Nueva York hacía un tiempo terrible. Aunque lo pretendiera, aquello no era ningún consuelo. No para su hijo, que se había pasado meses soñando con aquel viaje. También le preguntaba qué tal iba todo con la abuela y cómo lo estaba pasando en Grasberg. En un segundo correo, le enviaba varias fotografías de la ciudad y una de la habitación del hotel. Pero estaban un poco desenfocadas porque su padre no entendía muy bien la cámara digital que se había comprado y tampoco leía nunca los manuales de instrucciones. Le contestó con un escueto: «*Estoy bien. Llueve mucho. No olvides los pantalones que te encargué. Guárdame folletos de los museos y monumentos que visites*».

Después, se dedicó a navegar por Internet buscando todo tipo de información sobre Sandra Nadel. La localizó en numerosas entradas de periódicos, cadenas de radio y televisión. También encontró su nombre en una red social. Sin embargo, no logró acceder a su perfil. Tras rastrear todos los datos que fue capaz de encontrar en el ordenador, se marchó de la taberna decepcionado. No había conseguido averiguar nada que tuviera en común con ella.

Se pasó la tarde escuchando música en su teléfono móvil y no salió de su dormitorio salvo para ir al baño. A duras penas había comido el plato de alubias que le tenía preparado su abuela cuando regresó a casa. Se pasó varias horas encerrado en su habitación, soltando gases que disimulaba con ayuda de un almohadón. Para colmo, al anochecer, un rayo cayó en el pueblo y los dejó sin electricidad. Durante la cena, a la luz de unas velas clavadas en un candelabro de plata, el nieto de Berta todavía podía escuchar el estruendo de sus tripas. Así que puso la disculpa de que se encontraba muy cansado para regresar a su cuarto. Pero, antes de acostarse, quiso darse una ducha.

Para llegar al baño, había que atravesar todo el pasillo. Erik tomó la toalla, su bolsa de aseo y un velón amarillento que le había dado su abuela. Cuando salió del dormitorio tenía frente a él un túnel estrecho y oscuro. Desde aquella distancia era imposible vislumbrar la puerta del cuarto de baño. Con sus pantuflas escocesas, comenzó a caminar despacio con mucha cautela. La madera rechinaba bajo sus pies y la luz de la llama oscilaba de un lado a otro. Por el efecto del cirio que sujetaba con su mano derecha, su rostro parecía el de un espectro, poblado de sombras, en el que las ojeras se acentuaban y los pómulos se veían pálidos y enfermizos. Mientras tanto, Berta se había acostado en su colchón de lana y roncaba con suavidad.

Su nieto, en cambio, seguía avanzando por el interminable pasillo, encogido por el frío, por la oscuridad y por un temor profundo e inexplicable. De improviso, una ráfaga de aire helado apagó la llama que sostenía entre sus dedos.

—¡No veo nada! —exclamó aterrado.

Efectivamente, estaba rodeado de negro por todas partes. Y, por desgracia, no tenía ninguna cerilla para encender de nuevo el cirio. Se quedó muy quieto. Le había parecido escuchar un ruido a su espalda.

—¿Abuela, eres tú? —murmuró sin atreverse a mover un solo músculo de su cuerpo.

Nadie le contestó.

Su corazón comenzó a latir más rápido. Se giró con mucha lentitud mirando de reojo por encima de su hombro derecho. Distinguió entonces un leve resplandor blanquecino. Una extraña luz, casi irreal, rodeaba la imagen de la joven asesinada. Estaba flotando muy cerca de él, apenas un metro de distancia los separaba. Erik sintió que le fallaban las piernas. Después, el rostro de la chica se inclinó sobre él, se acercó hasta casi tocar su cara y, de forma repentina, se transformó en una calavera.

«¡¡¡AHHHH!!!». Erik agitó histérico los brazos y echó a correr como un loco por el pasillo. Abrió a tientas uno de los dormitorios. Algo le rozó la cara al atravesar la puerta. Siguió gritando. Sus alaridos alertaron a su abuela, que se levantó como un muelle de la cama.

Un poco más tarde, Berta lo encontró acurrucado en la esquina de una habitación que llevaba mucho tiempo sin limpiar. Estaba cubierto de telarañas y tenía la mirada perdida. La abuela le pasó varias veces la vela cerca del rostro. Pero no reaccionaba. Así que le ayudó a levantarse y se ofreció a acompañarle hasta su dormitorio. Por el camino de regreso fueron tropezando con el bolso de aseo, la toalla de baño y una vela enorme que salió rodando cuando la abuela le dio una patada sin querer.

Capítulo VI

La pieza de ajedrez

A la mañana siguiente, se despertó destemplado. Notaba un frío húmedo que le había llegado hasta los huesos. Su abuela le había subido a la cama un tazón de leche y una bolsa de agua caliente. También le colocó un par de almohadones detrás de la espalda para que se pudiera incorporar y un chal de lana rosa sobre los hombros.

—¡A ver si así entras en calor de una vez!... Estás muy blanco, como si no tuvieras sangre, pareces un muñeco de cera. Dame la mano un momento... ¡Vaya, tu corazón late sin fuerza! —exclamó al sentir el débil pulso de su nieto en la muñeca.

—¿Me voy a morir? —susurró Erik en tono trágico.

—«¿Me voy a morir?, ¿me voy a morir?» —repitió su abuela burlándose de él—. ¡Ay, qué poco espíritu tienes, hijo mío!... Tómate la leche, venga, que se te va a hacer nata... Pero antes ponte esta bolsa de agua caliente en los pies para entrar en calor.

—¡¡Ayss, está ardiendo!!

La abuela lanzó al aire un suspiro de resignación. Le pasó el tazón del desayuno. Una gruesa capa de nata se había formado sobre la leche. Él se entretuvo intentando apartarla con la cucharilla. A pesar de sus esfuerzos, algunos restos de nata flotaban en el interior del tazón…

—¡Puagg! —sintió una arcada al notar un trozo que se le había pegado en la campanilla—. ¡Odio esta leche de vaca!… En Bremen, solo tomo bebida de soja, de avena o de arroz.

Berta movió la cabeza de un lado a otro con aire de derrota. «Conque había cambiado mucho en los últimos tres años…», se dijo recordando las palabras de su hijo Frank. «¡Menuda cara!». Ajeno a sus pensamientos, el joven seguía protestando, había devuelto el tazón a la bandeja y se quejaba de que notaba algo en el colchón que se le estaba clavando en el trasero.

—¡¡Pero qué ganas tengo de que venga ya tu padre a buscarte!! —exclamó la abuela antes de salir del dormitorio y, acto seguido, dio un tremendo portazo.

Sobresaltado por el grito de Berta, su nieto se quedó inmóvil unos instantes. Tenía la seguridad de que había algo extraño en el colchón. Rebuscó con la mano hasta alcanzar un pequeño objeto. Cuando lo sacó del interior de la cama, lo contempló con asombro. «¿Se puede saber qué hace esto aquí?», pensó perplejo.

Era una pieza de ajedrez, en concreto, la figura de un rey blanco. Estaba tallada en madera y parecía muy antigua.

Con un rápido movimiento, se apartó el chal rosa de los hombros y se levantó de la cama. Llevó la leche al cuarto de baño y la tiró por el retrete al mismo tiempo que orinaba. Después de vestirse, fue a buscar a Berta. La encontró en la cocina; fregaba unos cubiertos con furia, lanzándolos a un lado del fregadero una vez que los llenaba de espuma.

—Perdona, abuela. Lo siento mucho. Me… me he tomado toda la leche, puedes comprobarlo si quieres… —dijo en tono conciliador mientras mostraba el tazón vacío.

Ella no respondió. Seguía de espaldas y movía los brazos de manera aparatosa y frenética, sacando los codos como los jugadores de rugby.

–Verás, yo… he encontrado algo muy raro en el colchón de mi dormitorio…

Erik no sabía cómo empezar porque Berta continuaba sin prestarle atención y parecía furiosa.

–¡Mira, es una pieza de ajedrez!… –exclamó aproximándose con precaución hacia ella.

Entonces, su abuela soltó un tenedor sobre la pila y se quedó muy quieta. Giró levemente la cabeza hacia el lado izquierdo y observó de reojo la figura que su nieto sostenía en la mano.

–Se trata de un rey blanco. ¿Es tuyo? –le preguntó acercándole la pieza de ajedrez.

Berta se secó las manos con un trapo. Luego agarró el rey de madera sin decir nada. Lo contempló durante unos segundos. Después, en silencio, se dirigió hacia el salón con aire misterioso. Su nieto la seguía muy de cerca, sin atreverse a pronunciar ni una palabra por no molestarla o distraerla. La abuela abrió un mueble con puertas de cristal y observó su tablero de ajedrez. Los peones, las torres, las damas, los caballos…

Todas las piezas ocupaban su lugar, todas menos una. El espacio del rey blanco estaba vacío. Arrugando las cejas, Berta la colocó de nuevo en su sitio. Abuela y nieto se miraron sin hablar. Los dos pensaban lo mismo. ¿Cómo había llegado aquella pieza al interior de la cama? ¿Qué sentido tenía que estuviera allí? Y… ¿quién la había metido bajo las mantas?

Esa misma mañana, tras el misterioso hallazgo del rey blanco entre sus sábanas, Erik regresó a la taberna de Verner. Se acercó a la barra y pidió: «Lo de siempre». El tabernero le sirvió su agua mineral sin gas y del tiempo. Después, el chico se acomodó en uno de los taburetes y abrió su portátil. Comenzó a bucear en Internet. Repasó las entradas de los periódicos, algún audio de la radio y, por último, se dirigió a Youtube para buscar los vídeos que había visto el día anterior.

En uno de ellos salían varios policías buscando pistas en el parque de Hamburgo. «Este no era…», pensó. En el siguiente, aparecían los padres de la víctima. «Tampoco», se dijo. Abrió el tercer vídeo, en el que distinguió la imagen de una joven de Bremen que hablaba con dificultad intentando controlar en vano sus nervios. Erik se inclinó sobre la pantalla del ordenador y escuchó con atención lo que decía con voz temblorosa:

—Sandra era una de mis mejores amigas. Estudiábamos juntas en el instituto y estuve con ella la tarde de su desaparición. Fuimos al club de ajedrez como todos los lunes. Nos despedimos a la salida y aquella fue la última vez que la vi.

Capítulo VII

El disco de Schubert

De camino a casa, recordó las palabras de la amiga de la chica asesinada: «Fuimos al club de ajedrez como todos los lunes. Nos despedimos a la salida y aquella fue la última vez que la vi». Había descubierto que Sandra Nadel estuvo jugando al ajedrez la tarde de su desaparición. Y estaba seguro de que su fantasma había sido quien había colocado la figura del rey en su cama. Pero no tenía ni idea de lo que intentaba decirle.

Cuando llegó, Berta ya había preparado la comida y le esperaba en el salón. Apenas hablaron durante un buen rato. La abuela disfrutaba en silencio de su estofado de carne. Erik seleccionaba con su tenedor los trozos que no estaban cubiertos de cebolla, apartaba los guisantes arrugados y esquivaba las zanahorias, que tenían un color sospechoso.

—Saldré fuera esta tarde, pero volveré pronto. Quiero comprar unos huevos de Pascua y hacer unos recados —soltó de repente ella tras apurar una copa de vino—. No creo que tarde mucho. ¿Te puedo dejar solo o te va a dar otro patatús en mi ausencia? —preguntó con ironía.

—No sé a qué te refieres, abuela… —contestó con mirada desafiante.

—Me refiero —repuso imitando la pose de su nieto y levantando el dedo meñique con el que sujetaba el tenedor— a tus desmayos imprevisibles o a tus ataques de pánico en mitad de la noche, por ejemplo… ¿De qué estabas tan asustado cuando te encontré en aquella habitación? Aún no me has contado qué te sucedió anoche.

Erik guardó silencio y clavó el tenedor en el estofado. Un guisante rebelde salió volando por encima de su plato. Cayó en el pelo de su abuela y de allí no se movió. Terminaron de comer poco después. Los dos callados: ella pensando en lo que le ocultaba su nieto; él sin poder apartar de su cabeza la imagen del fantasma que se había encontrado ya en dos ocasiones.

Un rato más tarde, la abuela salió de casa, como tenía previsto, y montó en su bicicleta para perderse por las calles de Grasberg. Erik se había recostado en el sofá y contemplaba con aire reflexivo las puertas del armario donde Berta guardaba el tablero de ajedrez. Desde allí podía distinguir la figura del rey blanco. Todo parecía en su lugar o, al menos, eso creía.

De fondo, se escuchaba el tictac constante del reloj de pared y el chisporroteo de un tronco en la chimenea. Sintió que se iba quedando dormido. En su delicado estómago, el estofado de carne de su abuela centrifugaba con dificultad. Intentó mantener los ojos abiertos pero se encontraba agotado. No tenía fuerzas para resistirse. Con el calor de la chimenea y el abrazo del sofá, que parecía engullirle poco a poco, se dio por vencido y cerró, por fin, los párpados. Afuera había comenzado a llover.

Cuando se quedó dormido, alguien abrió muy despacio la puerta de madera de uno de los muebles del salón. Era el del viejo tocadiscos de Berta, que estaba situado bajo una de las ventanas. Desde pequeña, su abuela tenía una gran afición por la música clásica y guardaba allí algunas de las joyas de su colección. Unos dedos casi transparentes fueron recorriendo los discos que se apilaban en el interior del mueble. Parecían buscar alguno en concreto.

De manera repentina, se detuvieron en uno de ellos. Abrieron la funda de papel que lo cubría y lo extrajeron sin hacer ningún ruido. Por unos instantes, el disco flotó en el aire como si volase. Los dedos del fantasma lo llevaron con suma delicadeza hasta la parte superior del mueble para colocarlo en el tocadiscos. Entonces, una luz roja se encendió en el equipo de música. La aguja tembló durante unos segundos hasta que cayó sobre el disco que giraba en el interior del aparato.

Comenzaron a sonar las notas de unos violines, al principio de forma suave, pero después cada vez con más fuerza. El volumen iba subiendo de forma progresiva. Cada vez más, cada vez más… El ritmo de la música ganaba en intensidad al mismo tiempo que el sonido se hacía más potente. ¡Más, más, más fuerte, más rápido! Hasta que una nota aguda y persistente sacó de golpe a Erik de su profundo sueño. Cuando abrió los ojos desconcertado, el estruendo de la música era tal que no pudo evitar dar un bote en el sofá y mover los pies en el aire. Una de sus zapatillas salió despedida y cayó sobre la alfombra.

«¿Qué, qué sucede?», se preguntó mirando a su alrededor, esperando encontrar a su abuela en algún esquina o detrás de algún mueble. ¿Se trataría de alguna de sus bromas pesadas?

Sin embargo, no había ni rastro de la bicicleta de Berta junto a la puerta principal. Aquello lo descolocó todavía más. Su abuela aún no había llegado de sus recados. Estaba solo en la casa. Dirigió su mirada al tocadiscos. La música continuaba subiendo de volumen y resultaba insoportable.

Si hubiera querido gritar con todas sus fuerzas, nadie le habría oído. Corrió hacia el disco que giraba sin cesar y con un rápido ademán levantó la aguja y la colocó en su posición inicial. Al instante, se hizo un silencio en el salón acompañado del reloj de pared, las gotas de lluvia y unas brasas en la chimenea.

Erik, que se había arrodillado junto al equipo de música, suspiró aliviado. Los violines implacables se habían detenido. Su corazón volvía, poco a poco, a su ritmo habitual. El disco había dejado de dar vueltas. Sin embargo, su funda permanecía en el suelo a escasos centímetros de las rodillas del joven. Extendió los dedos y giró el papel muy despacio para ver la carátula. Se trataba de la grabación de una obra de Schubert, un cuarteto de cuerda conocido como *La muerte y la doncella*.

Capítulo VIII

Un vecino peculiar

Vogler contempló la funda del disco durante largo rato. Cuando se calmó, volvió a levantar la aguja del tocadiscos y la colocó sobre la pieza de Schubert. Bajó el volumen del equipo de música y escuchó con atención la melodía. En un principio, creyó no conocerla pero, a medida que las notas avanzaban, le pareció haberla oído en alguna parte. «¿Dónde, dónde?», se repetía. ¿De qué le sonaba aquella música? ¿Dónde la había escuchado antes? Justo cuando intentaba recordarlo, la puerta principal se abrió con un sonoro golpe.

Erik guardó el disco en su funda con rapidez. Después, lo metió en el mueble y se levantó de un bote, aparentando normalidad. Se dio cuenta de que le faltaba una zapatilla y corrió hacia el sofá para colocársela. La abuela acababa de entrar en el salón empujando su bicicleta. Llegaba con el cabello empapado y más rizado que de costumbre. Para sorpresa de su nieto, se giró y, mirando hacia atrás, hizo un gesto con la mano para que alguien entrara.

—¡Pasa, pasa, no te quedes ahí, que está diluviando!

En ese momento, un chico atravesó el umbral de un pequeño salto mientras se sacudía los bajos de los pantalones repletos de agua. Debía de rondar los quince años. Era muy delgado, alto, pálido hasta parecer transparente, de venas azuladas. Tenía un brillo peculiar en los ojos y unos labios finos que apenas movía, ni siquiera cuando hablaba.

—¡Erik! —exclamó ella—. Mira, te presento a Albert Zimmer, es el hijo de mis nuevos vecinos. Bueno, solo temporalmente. De hecho, viven en Bremen. Me lo he encontrado al salir de la pastelería y le he invitado a pasar la tarde con nosotros. Él también es muy aficionado al ajedrez, como tú, y había pensado que quizá os gustaría jugar una partida juntos.

Albert Zimmer se acercó a Erik y le tendió una mano fría y cubierta de lluvia. Casi no se rozaron los dedos, porque el nieto de Berta sintió un desagradable escalofrío nada más tocarlo. El nuevo vecino sonrió ocultando sus dientes y acompañó a la abuela a la cocina.

—¡Ahora volvemos! —anunció Berta—. ¿Por qué no vas sacando el tablero de ajedrez del mueble y lo colocas sobre la mesa? Nosotros vamos a preparar la merienda y a secarnos un poco. Por cierto, Albert —dijo mirando a su joven invitado—, deberías quitarte esos zapatos y ponerte otros calcetines. Vas a pillar una pulmonía. Mi nieto te puede prestar un par sin ningún problema, ¿a que sí?

—Perdona, no sé qué quieres decir, abuela... —se excusó, pasándose la mano por el pelo y cerciorándose de que su flequillo seguía en perfectas condiciones.

—Pues que seguro que tienes un par de calcetines de sobra en esa maleta que has traído —susurró con la intención de que Albert no la escuchara— y, como eres un buen chico —prosiguió en tono amenazante—, no te importará compartirlos con nuestro vecino.

—¿Nuestro? —protestó irritado—. ¡Pero si yo no lo conozco de nada!

—Ya, pero me he fijado y tenéis un número de pie parecido. ¡Y no se hable más! —sentenció con una sonrisa forzada.

Erik subió las escaleras enfurecido y se dirigió a su habitación apretando los puños de las manos. La idea de que un desconocido metiera sus pies sudorosos en sus calcetines de lana virgen le producía terror. Abrió su maleta y tardó un rato en decidir el par que le prestaría. Sin duda, tenía que ser el más viejo de los que había seleccionado. Aun así, todos sus calcetines se conservaban en un estado magnífico.

Al final, decidió que sacrificaría un par de color malva. Los miró con ternura antes de salir del dormitorio. Recordó que se los puso por primera vez una tarde que fue a la ópera con su padre en Berlín. Y sintió una punzada en el costado, como una espina que alguien retorcía sin compasión provocándole un inmenso sufrimiento.

Cuando entró en la cocina, Albert Zimmer estaba sentado en una de las sillas que estaban dispuestas alrededor de la mesa. El nuevo vecino le esperaba con los pantalones remangados y estaba descalzo. Sus pies tenían un extraño color amoratado, las uñas amarillentas no estaban precisamente recién cortadas… A una distancia prudencial, haciendo un esfuerzo para evitar mirarlos, Erik le tendió los calcetines.

—Toma… Quédatelos —le propuso aferrándose aún a ellos.

Tras un leve forcejeo, Albert se puso los calcetines y agradeció el gesto mirando a Erik muy fijamente. Tanto, que Erik huyó de la cocina despavorido con la excusa de que iba a sacar el tablero de ajedrez. Había algo inquietante en aquel joven, en el color anaranjado de sus ojos, en la piel translúcida, en esa sonrisa que no dejaba asomar ni un solo diente… «¡Y encima tengo que jugar al ajedrez con él!», se lamentaba mientras abría una de las puertas del mueble del salón.

—¡Aquí vienen los huevos de Pascua! —anunció Berta acercándose a la mesa del comedor.

Llevaba en una bandeja los dulces de chocolate y tres tazas con leche caliente.

Su nieto, en cambio, se había quedado petrificado en medio del salón, no daba crédito a lo que estaba viendo. Sostenía el tablero de ajedrez en sus manos y lo miraba con asombro. Todas las piezas estaban en su lugar, pero faltaba una de ellas. El rey blanco había vuelto a desaparecer misteriosamente de su casilla. Y la puerta del mueble donde se guardaba el tablero estaba cerrada con llave. «¡No es posible!», pensó. ¿Quién se lo había llevado? ¿Habría sido el fantasma de Sandra Nadel? ¿Por qué lo habría vuelto a sacar? El joven tragó saliva antes de colocar, con lentitud, el ajedrez sobre la mesa del comedor y acomodarse en una de las sillas frente a su rival.

—¡Parece que en esta casa hay fantasmas! —bromeó la abuela al darse cuenta de lo que ocurría—. No pasa nada, lo sustituiremos por otra figura y arreglado —propuso al tiempo que echaba un vistazo por las estanterías del mueble—. ¡Ya está! —exclamó triunfal—. Pondremos en su lugar a este pastorcito de porcelana.

—Elijo negras —dijo Albert rechazando los huevos de chocolate que le ofrecía Berta.

—¿No te apetece merendar algo? Los huevos de Pascua están deliciosos. Toma uno, al menos —insistió ella.

—No, muchas gracias. No como entre horas… —contestó el nuevo vecino con una leve sonrisa.

Capítulo IX

Jaque mate

Erik observó con desconfianza a su contrincante mientras apoyaba ambos codos sobre la mesa. Luego, levantó su mano derecha y avanzó el peón blanco del alfil del rey una casilla. Albert contestó adelantando su peón del rey dos casillas. Tras colocar la pieza en su nueva posición, el joven lo miró con actitud desafiante. En ese preciso momento, un relámpago iluminó la habitación. Poco después, estallaban varios truenos y la tarde se oscurecía.

Para calmar sus nervios, Vogler acababa de mordisquear un huevo de Pascua y un trozo de chocolate se le había quedado pegado sobre el labio superior, formando un pequeño bigote. Los dos jugadores guardaban un respetuoso silencio. Sonaba el reloj de pared. Erik tomó aire y carraspeó. A continuación, movió su caballo a la casilla c3. La partida seguía su curso y la abuela aprovechaba para leer una novela policíaca sentada en uno de los sillones del salón. Su rival avanzó con lentitud su peón de la reina a la casilla d6.

Reinaba un profundo silencio en el salón. Zimmer no apartaba la vista de su adversario, como si fuera un ave de presa a punto de lanzarse sobre un ingenuo canario, como el búho disecado del dormitorio. Erik se revolvió incómodo en su silla. Tuvo un momento de indecisión, pero después movió su peón del caballo del rey a g4. Miró a su oponente fingiendo tranquilidad. Los ojos de su contrincante brillaron entonces con fuerza. El nieto de Berta apartó la mirada y la dirigió al tablero de ajedrez. Respiró hondo. De pronto, los dedos huesudos de Albert Zimmer se colocaron sobre la reina negra. Con una gran lentitud, saboreando su jugada, desplazó la pieza, como por arte de magia, hasta la casilla h4.

—Jaque mate —murmuró con actitud triunfal mientras golpeaba al pastorcito blanco de Erik—. Jaque al rey —repitió.

El rey blanco había caído en menos de cinco minutos. «¡Jaque mate, no es posible!», se repetía sin dar crédito a lo que acababa de suceder. No recordaba que le hubiesen derrotado en tan poco tiempo. Sin embargo, aquel desconocido lo había logrado sin apenas pestañear, sin titubear un segundo, evitando hacer, en apariencia, ningún esfuerzo.

Zimmer se levantó muy despacio. Sonreía sin mostrar los dientes de la misma forma que lo había hecho al entrar en la casa de Berta. Tenía una expresión de ganador que a Erik le ponía enfermo y, al mismo tiempo, había algo inquietante en su mirada.

—Por cierto, tienes un trozo de huevo de Pascua aquí pegado —le advirtió señalándose la parte superior del labio.

¿Un trozo de huevo de chocolate? ¡Maldición! Y él sin enterarse. Con toda la rapidez de la que fue capaz, sacó un pañuelo con sus iniciales bordadas, y se limpió el bigote. Aunque le hervían las mejillas, intentó aparentar normalidad.

—Bueno, es un poco tarde —añadió Albert cambiando de tema después de consultar un viejo reloj que sacó de su bolsillo—. Tengo que volver a casa.

—¿Cómo?, ¿ya habéis terminado la partida? —preguntó sorprendida Berta, que no había ni siquiera avanzado un par de páginas de su libro.

—Hemos acabado por esta tarde, ¿verdad? —contestó el nuevo vecino acercando la figura del pastorcito a la mano de su rival.

Vogler la apartó con un rápido ademán al notar, por segunda vez, el roce de la piel helada de Albert sobre sus dedos. Un escalofrío recorrió el brazo de Erik. La abuela cerró la novela de sopetón y se levantó para dirigirse hacia la entrada de la casa. Luego, ofreció un paraguas a su invitado y lo acompañó hasta la puerta; su nieto ni siquiera se levantó de la silla.

—¡Y gracias por los calcetines! —añadió como despedida antes de cruzar el umbral.

Vogler apretó los labios y sintió que el corazón le latía con rabia. Solo al ver que Zimmer salía a la calle, suspiró con alivio y se dispuso a colocar las piezas del ajedrez en el tablero.

—¿Qué hago con esto? —preguntó alzando la figura del pastorcito de porcelana.

—Déjalo en lugar del rey blanco hasta que aparezca… Por si quieres la revancha y llamamos otra tarde a Albert para que vuelva a jugar una partida contigo.

No quería la revancha ni tampoco reconocer que aquella derrota le había herido en su orgullo. Después de haberle tenido que regalar sus calcetines malva y de haber sucumbido como un memo en la partida de ajedrez, en lo que menos pensaba era en llamar a Zimmer.

En realidad, lo que realmente deseaba, con toda su alma, era regresar a Bremen, a su ciudad, refugiarse en su edredón nórdico, en su dormitorio, continuar su colección de fósiles y añadir las fotografías de Nueva York a su álbum digital. Y olvidar aquellas absurdas e inesperadas vacaciones en Grasberg. Su padre le había enviado un mensaje al móvil aquella tarde para preguntarle cómo estaba. Y él le había contestado con un melancólico: «Tengo ganas de volver a casa».

Después de la cena, se despidió de su abuela. Se sentía abatido y subió muy despacio el tramo de escaleras para dirigirse a su cuarto. Giró el pomo con un ligero chasquido. A través de los ventanales del dormitorio, seguía la tormenta. Las ramas de los árboles se agitaban con violencia. Sonó un enorme trueno justo cuando cerró la puerta y se disponía a encender la luz. Se llevó la mano derecha al corazón y un rayo se dibujó en el cielo.

La lámpara del techo había dejado de funcionar, la única bombilla que quedaba con vida se acababa de fundir. Así que tuvo que atravesar el dormitorio a oscuras hasta llegar a la cama. El búho disecado parecía seguirle con su mirada de cristal a través de la penumbra. Erik se sentó sobre las mantas de su abuela y buscó el interruptor para encender un antiguo quinqué que había sobre la mesilla de madera. La lámpara apenas iluminaba la habitación, tan solo una de las esquinas y parte del cabecero de la cama.

Entre las sombras, Erik torció su cabeza hacia la izquierda y distinguió una pequeña silueta en el centro de la almohada. ¿Qué había sobre su cama? Tragó saliva antes de alargar la mano y palpar con lentitud aquel objeto desconocido. ¿De qué se trataba? A tientas, notó el tacto del papel que lo cubría. Lo tomó tembloroso entre sus dedos y lo acercó a la débil luz del quinqué. A continuación, deshizo con cuidado el envoltorio. Un trueno estalló con fuerza no muy lejos de Grasberg.

Dentro del papel, descubrió la pieza del rey blanco del tablero de su abuela manchada de sangre seca. Y en la hoja que la cubría pudo leer los siguientes versos que alguien había arrancado de la página de un libro:

«Cuando al final (ahora nada puede salvarlo)
En un diente de hierro fue capturado,
Cuando el luctuoso brillo de la luna se apagaba…».

Capítulo X

La pesadilla

Con el corazón en un puño, Vogler guardó la figura del rey blanco en el cajón de la mesilla y releyó varias veces los versos intentando que la hoja de papel no temblase entre sus dedos. ¿Qué significaba aquel inquietante mensaje? Después de un rato, se metió entre las sábanas y apoyó su cabeza sobre la almohada. A su memoria venía una y otra vez una parte de la melodía de Schubert que había escuchado esa misma tarde en el salón. *La muerte y la doncella.* «¿Dónde la he oído antes?», se repetía pensativo. Estaba seguro de que el fantasma de Sandra Nadel quería advertirle de algo, aunque no sabía cuál era el motivo ni de qué se trataba. ¿Por qué lo había escogido precisamente a él?

En realidad, solo tenía la pieza del rey blanco manchada de sangre y había descubierto que la joven asesinada había estado en un club de ajedrez la tarde de su desaparición. Los dos vivían en Bremen y, salvo por su afición por el ajedrez, no parecían tener nada en común. Sin embargo, aquella música que sonaba dentro de su cabeza le resultaba extrañamente familiar. Quizá la hubiera escuchado en su propia casa. No podía asegurarlo. De lo que sí tenía la certeza era de que había sido hacía muy poco tiempo.

Durante esa noche, sintió pavor a quedarse dormido.

Mantenía los ojos muy abiertos y no apartaba su mirada aterrorizada del balcón del dormitorio. El fantasma de Sandra Nadel podía aparecer en cualquier momento. Y él lo estaba esperando después de cada relámpago, de cada trueno, de cada ráfaga de viento.

Fueron pasando las horas hasta que a las cinco de la madrugada los párpados se le cerraron y perdió la consciencia. Derrotado por el cansancio, aferrado a las mantas que le cubrían hasta la nariz, el nieto de Berta tuvo una horrible pesadilla.

En el horripilante sueño de Erik, el nuevo vecino flotaba detrás del balcón de su dormitorio, justo en el mismo lugar donde había surgido por primera vez el fantasma de Sandra Nadel. En medio de la tormenta, Albert Zimmer había apoyado sus dedos esqueléticos contra los cristales de las ventanas. De pronto, el joven metió su mano izquierda en el bolsillo de su abrigo y sacó del interior la pieza del rey blanco. Un hilo de sangre oscura caía desde la comisura de sus finos labios mientras sonreía con la misma expresión triunfal e insoportable que había tenido al vencerle en la partida de ajedrez.

En ese instante, Vogler comenzó a mover la cabeza de un lado a otro intentando apartar la imagen de su mente. Abrió los ojos sobrecogido, estaba cubierto de sudor y el corazón le latía con una rapidez endiablada. La tormenta había cesado. Y, aunque sentía un miedo atroz, el nieto de Berta se atrevió a mirar hacia el balcón. Giró la cabeza muy despacio temiéndose lo peor. Pero Albert no estaba allí. Ni el fantasma de Sandra Nadel.

Después de la pesadilla, ya no se volvió a dormir, contempló el amanecer desde su cama con los ojos enrojecidos. Se levantó muy temprano y desayunó con su abuela. Berta lo miraba en silencio mientras masticaba unas magdalenas y se preguntaba por qué su nieto tenía unas ojeras tan profundas y un rostro tan pálido esa mañana. «¡En fin, no se habrá acostumbrado todavía a la cama!», se dijo removiendo con una cucharilla su tazón de leche.

No obstante, su abuela no le hizo ningún comentario, ni siquiera cuando lo descubrió en el salón abrillantando con esmero sus Lombartini, ni cuando observó cómo tomaba su paraguas, ni al despedirse de él en la puerta de la entrada. Y, al verlo salir a la calle, solo sabía que se dirigía con paso decidido a la taberna de Verner y que llevaba una expresión seria y concentrada como si tuviera que resolver un asunto muy importante, un asunto vital. Lo que no podía sospechar era que su nieto guardaba tres versos en el bolsillo de su abrigo y que se los había enviado el fantasma de una chica asesinada en Bremen.

Nada más ver entrar a Erik en el local, el camarero se dispuso a abrir una botella de agua mineral del tiempo y sin gas. Para su sorpresa, su peculiar cliente le hizo un gesto desde la puerta y dijo:

—Buenos días. Hoy tomaré un zumo de naranja, por favor. Con sacarina y sin pulpa.

Buscó una mesa, encendió el ordenador portátil y entró en Google. Dio un pequeño sorbo al zumo que le había dejado el camarero sobre la madera. Luego escribió las siguientes palabras:

«*Cuando al final (ahora nada puede salvarlo)*
En un diente de hierro fue capturado,
Cuando el luctuoso brillo de la luna se apagaba…».

Un segundo después, los versos aparecieron en distintas entradas. La mayoría de ellas estaban relacionadas con vampiros y fantasmas. Vogler sintió que su corazón otra vez bombeaba con más velocidad de la normal. Pulsó una de esas páginas y comenzó a leer… No tardó mucho tiempo en descubrir que las misteriosas palabras pertenecían a un poema que se titulaba «La danza de la muerte». Su autor era un célebre escritor alemán, nacido en el siglo XVIII, llamado Goethe.

Erik dio otro sorbo al zumo de naranja. Recordó entonces el vídeo en el que aparecía la amiga de Sandra Nadel. Así que decidió entrar en Youtube y comenzó a buscarlo. No le costó encontrarlo de nuevo. La grabación duraba apenas un minuto. Allí estaba aquella chica, nerviosa y angustiada, respondiendo a las preguntas de los periodistas.

Pero no le interesaban en ese momento las declaraciones de la joven sino el inicio del vídeo. Pulsó el botón de *play* y observó con atención la imagen. La amiga de Sandra Nadel salía con prisas de un edificio. La cámara seguía el movimiento de la joven y apenas se detenía en un punto fijo. Así que retrocedió y regresó al principio de la grabación. Rápidamente, nada más comenzar el vídeo, apretó la tecla que congelaba la imagen. La contempló durante unos instantes. Reconoció de inmediato aquel lugar, las piedras de la fachada, el cartel de la entrada, las bicicletas apoyadas contra el muro del edificio. No tenía ninguna duda; se trataba de la biblioteca pública de Bremen.

Sentado frente a su portátil, el chico que calzaba unos Lombartini respiró hondo y apuró su zumo de naranja. A continuación, miró a través de los cristales de la taberna de Verner. De forma imprevista, le pareció ver a Albert Zimmer cruzando la plaza. ¿Le habría seguido desde su casa? ¿Le estaría espiando de algún modo? ¿O se trataba tan solo de una casualidad?… «¡Que pase de largo, por favor!», pensó mientras apoyaba el codo sobre la mesa para ocultar con el brazo parte de su cara. Para cuando miró de reojo en la misma dirección, comprobó con alivio que su vecino ya no estaba. Así que volvió a contemplar ensimismado la pantalla de su ordenador. Entró en la página web de la biblioteca pública de su ciudad y escribió el nombre del autor del poema. Inició la búsqueda. «Veamos qué hay por aquí…», se dijo concentrándose en la pantalla y frotándose las palmas de las manos. Aparecieron distintos títulos de obras de Goethe: varios ensayos científicos, novelas, obras de teatro y libros de poesía. Se detuvo en los de poesía y fue entrando en cada uno de ellos.

Después de un rato, averiguó que unos no habían sido prestados a ningún lector en el último mes y otros se habían sacado de la biblioteca hacía más de una semana. Erik tomó una agenda de la bolsa de su ordenador para anotar las fechas de los préstamos, hasta que encontró un ejemplar, una selección de poemas de Goethe, que alguien se llevó de la biblioteca el mismo día de la desaparición de Sandra Nadel y que aún no había sido devuelto.

Capítulo XI

Algo en común

Vogler apuntó el número de registro del libro en su agenda. Levantó la cabeza y, dirigiéndose al camarero, pidió otro zumo de naranja. Acto seguido, se frotó los ojos. Después de aquella maldita noche, parecía que le quemaban. Tal vez necesitara un litro de zumo de naranja para quitarse aquel cansancio de encima. Se volvió a pasar los dedos por los párpados y ocultó un bostezo. «Piensa, Erik, antes de Sandra Nadel, desaparecieron dos jóvenes en Bremen», recordó al salir de la página web de la biblioteca pública.

«¿Quiénes eran? ¿Cómo se llamaban?… ¿Qué tenían en común?», se preguntaba mientras el camarero depositaba sobre su mesa el vaso de zumo.

—Gracias —acertó a decirle con aire distraído.

Porque sus pensamientos no podían apartarse de aquellos crímenes, ni del fantasma de Sandra Nadel. Y a su cabeza acudían los versos de «La danza de la muerte» o la música del disco *La muerte y la doncella*. Al pensar en la melodía, se le ocurrió una idea. Sacó el teléfono móvil y envió un mensaje a su padre en el que le preguntaba si tenían en casa esa obra de Schubert.

En aquel momento, un grupo de amigos entró en la taberna de Verner; también lo hizo una ráfaga de viento helado que acarició el cuello de Erik. Se inclinó sobre la mesa y tomó el vaso que le acababan de traer. Pero el zumo de naranja sabía demasiado ácido. Así que rebuscó en el bolsillo interior de su abrigo y sacó una caja de sacarina. Después de echar un par de pastillas para endulzarlo, lo probó de nuevo. «Mucho mejor», consideró. Había regresado a la página del buscador y los dedos de su mano derecha tamborileaban sobre la mesa. «¿Por dónde empiezo?, ¿por dónde?», se dijo.

Comenzó por la tarde de la desaparición de Sandra Nadel. Tras leer varias entradas de distintos periódicos alemanes, encontró una noticia en la que se mencionaba el nombre de la víctima anterior a la joven. *«Se llamaba Leo Klein, tenía dieciséis años y, aunque había nacido en Austria, vivía en Bremen desde pequeño»*, señalaba el diario como única información.

El nieto de Berta tecleó, a continuación, «Leo Klein» y en la pantalla surgieron infinidad de entradas relacionadas con su desaparición a principios del pasado mes de marzo. Su cadáver, según detallaban los periódicos digitales, fue hallado tres semanas después en unos invernaderos a las afueras de la localidad de Zeven.

Erik entró en Youtube para buscar los vídeos relacionados con el crimen. Encontró varias grabaciones de reporteros informando sobre el descubrimiento del cuerpo sin vida de Leo Klein, algunas declaraciones oficiales de la policía y una breve entrevista a la madre del joven en la que señalaba que la tarde de su desaparición había estado con sus amigos en el parque Bürger de Bremen. Después de aquello, nadie lo había vuelto a ver.

Apartó la vista del portátil y consultó su reloj. Llevaba más de dos horas investigando pistas en Internet sobre los asesinatos de Bremen. Quería encontrar algo que uniera a las dos últimas víctimas. Pero Sandra Nadel y Leo Klein no parecían coincidir en nada. De hecho, no vivían en la misma zona, ni compartían instituto; tampoco tenían la misma edad, sus familiares no se conocían, ni habían desaparecido en el mismo lugar de la ciudad.

Vogler contempló absorto la pantalla del ordenador mientras se acercaba a los labios el vaso de zumo de naranja. Pasado un rato, tecleó en el buscador el nombre de la víctima y añadió: «danza de la muerte». No apareció ninguna entrada. Luego probó con «Goethe». Tampoco consiguió nada. Borró el nombre del autor y lo sustituyó por «Schubert». No hubo suerte con aquella combinación, ni con las palabras: «la muerte y la doncella». Por último, escribió «Leo Klein» y tecleó una palabra: «ajedrez». Respiró hondo y pulsó la tecla del ordenador. Para su sorpresa, apareció una entrada en la que figuraba el nombre del chico. Llevaba por título *«Campeonato de ajedrez para jóvenes promesas»*.

Con cierto nerviosismo, abrió la noticia de Internet y empezó a leer con suma atención. La fecha correspondía al mes de mayo del año anterior. Se trataba de un torneo de ajedrez organizado por el Ayuntamiento de Bremen, al que también habían sido invitados jóvenes de otras localidades cercanas. Entre los participantes, figuraba Leo Klein.

Erik leyó más despacio la siguiente frase del periódico: *«En una intensa y emocionante partida, que se celebró durante la segunda jornada del torneo, Leo Klein fue derrotado antes de la final por Sandra Nadel».* Esbozó una sonrisa de satisfacción. Había hallado, al fin, algo que relacionaba a las dos víctimas: su afición por el ajedrez. De pronto, sonó la alarma de su móvil. Acababa de recibir un mensaje de su padre desde Nueva York. Le preguntaba cómo iba todo por Grasberg, cómo estaba su abuela y le aseguraba que no tenían en casa el disco de Schubert que le había mencionado.

Cuando se disponía a responderle, notó una inoportuna presencia junto a su mesa. Levantó la vista muy despacio de la pantalla del teléfono y se encontró con la mirada inquietante de Albert Zimmer. Tenía los ojos brillantes y la piel más pálida todavía que el día anterior. Había apoyado las palmas de sus manos sobre la mesa de la taberna que ocupaba el joven y lo observaba con gesto de superioridad. Sin esperar a que lo invitase, se sentó frente a él y sonrió en silencio.

Capítulo XII

Una inquietante sospecha

Zimmer era quizá la persona con la que menos ganas tenía de encontrarse esa mañana. Y, sin embargo, allí estaba, delante de sus narices. Erik se sintió incómodo. Aquello no era una coincidencia. Durante unos segundos, desvió la vista hacia los zapatos de su nuevo vecino para descubrir horrorizado que no se había cambiado de calcetines y que llevaba los de color malva que le había dejado el día anterior.

—He ido a buscarte a casa, pero no estabas. Tu abuela me ha dicho que habías venido aquí. ¿Se puede saber qué estás haciendo? —preguntó con curiosidad mientras se inclinaba sobre el portátil.

Vogler protegió con sus brazos la pantalla del ordenador intentando ocultar la página que aún estaba abierta.

—Nada que te interese —contestó molesto.

—Hummm, vaya, vaya… Campeonato de ajedrez para jóvenes promesas —leyó su contrincante en voz alta—. ¡Qué casualidad! —prosiguió—. Precisamente venía a hablarte de ajedrez. Quería invitarte esta tarde a mi casa. Mis padres se marchan a Bremen y podremos jugar a solas… Así podrás demostrarme que no eres tan paquete como me pareciste ayer. ¿Qué dices?

El de los Passion empezó a recoger sus cosas con rapidez. Intentó mantener la calma pero a su cabeza acudía la imagen de la pesadilla que había tenido esa misma noche. Zimmer, con aquella inquietante sonrisa, flotando en mitad de la noche detrás de los ventanales de su balcón. Igual que lo había hecho el fantasma de Sandra Nadel.

–¿Te atreves a echarme la revancha?... ¿O es que te doy miedo? –preguntó acercándose tanto a él que pudo sentir su helado aliento en el cuello.

–Esta tarde no voy a poder, estoy muy ocupado –se excusó levantándose del taburete de forma precipitada.

Y después, dirigiéndose al dueño de la taberna, preguntó:

–Por favor, ¿me puede decir cuánto le debo?

Pagó con un billete y no esperó a que le dieran la vuelta. Todo para salir de allí cuanto antes.

–¡Venga, Vogler! –exclamó Zimmer siguiéndole hacia la salida de la taberna–. ¿Qué hay de malo en que echemos otra partida?

–No pienso volver a jugar contigo –murmuró mientras abría la puerta de la taberna.

A pesar de su negativa, Albert se empeñó en acompañarlo hasta casa y por el camino continuó insistiendo en su propuesta. Dios, ¿por qué no lo dejaba tranquilo de una vez? Estaba claro que no captaba las indirectas. Y que tampoco se rendía fácilmente. En definitiva, el nuevo vecino parecía obsesionado con él y con el juego del ajedrez.

Aunque Erik hacía todo lo posible por mantener las distancias, aquel joven no estaba dispuesto a dejarlo en paz ni un instante. Así que aceleraba el paso cuando su vecino se le aproximaba demasiado, saltaba los charcos con decisión, caminaba a buen ritmo. Lo vigilaba de reojo y se protegía el cuello con la bufanda al mismo tiempo que, en silencio, rezaba por llegar lo antes posible a casa de su abuela para librarse de él.

Cuando alcanzó el portal de Berta y llamó de forma enérgica, Zimmer permanecía allí, a su espalda, y no mostraba ninguna intención de marcharse. Disimulando su angustia, golpeó de nuevo la puerta y evitó mirar hacia atrás. La espera le resultó interminable. Después de un rato, su abuela abrió y los recibió con una sonrisa:

—¡Albert, qué sorpresa! —exclamó—. ¿Te quedas a comer con nosotros? ¿Te apetece?

—Muchas gracias, señora Vogler, pero me esperan en casa —contestó de forma cortés.

—¡Ohhh, qué lástima! —se lamentó mirando a Erik con preocupación—. Mi nieto está aquí tan solo, se aburre, el pobre... No conoce a nadie de su edad en Grasberg.

—¡Yo no me aburro, abuela! —replicó enfadado.

—Bueno —prosiguió Berta dirigiéndose al joven e ignorando a su nieto—, vente mañana a pasar con nosotros la tarde. ¿Te animas? Nos encantaría que vinieras.

A Zimmer aparentemente le divertía aquella situación que se había creado entre ellos. Así que miró a Erik, luego a su abuela y, sin poder evitar una sonrisa de satisfacción, aceptó el ofrecimiento. Vogler lo despidió, desde la entrada de la casa, con un gesto de impotencia.

—¡No sé por qué lo has vuelto a invitar! —se quejó, instantes después, dejándose caer en el sofá del salón.

—A mí me resulta un chico simpático y, bueno, quizá sea un poco mayor que tú, pero no tanto.

—Pues yo creo que es muy raro... —soltó de repente interrumpiendo el discurso de su abuela.

Berta Vogler contempló a su nieto con expresión de asombro.

—¿Piensas que él es muy raro? —repitió al cabo de unos segundos.

Erik asintió en silencio y, a continuación, le preguntó:

—¿No te has fijado en el color de sus ojos?

—No.

—Son anaranjados.

—¡Ah!

—Además, hay algo extraño en su forma de mirar, sus manos están heladas y, al sonreír, nunca enseña los dientes…

—¡Vaya! —exclamó divertida.

—¿No te has dado cuenta?… Tampoco come delante de nosotros —continuó, bajando la voz—. Solo sabemos que ha venido de Bremen. Nada más.

—No entiendo qué me quieres decir.

Se hizo un silencio entre ambos que rompió la alarma del horno. A toda velocidad, su abuela salió del salón y él se aferró a su ordenador portátil. No muy lejos sonó un trueno y comenzó otra tormenta.

Capítulo XIII

La primera víctima

Durante las investigaciones de Erik en la taberna de Verner, la abuela había preparado un pescado al horno. No le había quitado la cabeza y los ojos saltones del pez miraban directamente hacia su nieto. Este se pasó la mayor parte de la comida evitando esa mirada y analizando de forma meticulosa cada trozo del pescado, que estaba cuajado de espinas.

—¿Qué tal esta mañana? —preguntó Berta para aliviar el silencio que se había creado entre los dos.

El joven encogió los hombros. No podía disimular su enfado después de que su abuela hubiera vuelto a invitar a Albert Zimmer a casa.

—¿Un poquito de puré? —le propuso ella en tono amable.

Y, antes de que pudiera siquiera rechazarlo, tomó una enorme cuchara llena de puré de patatas, que cayó como si fuera hormigón sobre su trozo de pescado y que enterró gran parte de las espinas que le había llevado tanto tiempo separar. Un rato después, Berta lo vio desaparecer calle abajo, camino de la taberna. Llevaba su pequeño portátil oculto dentro del abrigo y se protegía de la lluvia bajo un paraguas negro.

Esa tarde de Semana Santa, el local de Verner estaba

bastante lleno. Cuando Erik abrió la puerta de la taberna, le llegó el calor de la estufa, de la gente que charlaba de forma distendida junto a la barra y de los que compartían la mayoría de las mesas disponibles. Llamó al camarero, que se había acostumbrado a su presencia en los últimos días, y le pidió un té con leche. Buscó con la mirada la única mesa libre y se sentó junto a ella.

Tenía claro a quién investigar aquella tarde. Se llamaba Conrad Braun y había sido la primera víctima del asesino de Bremen. Tecleó el nombre del joven desconocido y esperó a que surgieran las entradas sobre su caso.

Conrad Braun estaba a punto de cumplir quince años y desapareció a mediados del mes de febrero. Según los periódicos, se trataba de un chico tímido, un buen estudiante que no tenía ningún problema familiar. En uno de los vídeos de la televisión alemana, la madre de Conrad Braun señalaba que su hijo padecía una leve cojera debida a una enfermedad infantil y que sufría ataques de asma. Erik averiguó también que el cadáver del joven apareció en el parque Bürger, el mismo en el que había sido visto por última vez Leo Klein.

Estaba tan enfrascado en la lectura de las noticias sobre aquel asesinato que ni se dio cuenta de que el camarero dejaba un té caliente encima de la mesa. Sin dudarlo un momento, Vogler añadió al nombre de la víctima la palabra «ajedrez» y aguardó unos segundos para ver los resultados. Para su sorpresa, el buscador le indicó que no había ninguno. Frunció el ceño. Durante unos segundos, dudó y no supo qué hacer. Se frotó varias veces la barbilla con aire pensativo. Luego lo intentó de nuevo escribiendo: «campeonato de ajedrez para jóvenes promesas en Bremen». Releyó con detenimiento la noticia que había encontrado por la mañana pero entre los nombres de los participantes en aquel torneo no estaba el de Conrad Braun. «Quizá no haya ninguna conexión entre ellos», pensó sin apartar la vista de su portátil.

Eligió entonces el apartado de *imágenes* del buscador y volvió a teclear el nombre del joven. La pantalla se llenó de pronto de pequeñas fotografías en las que se veían los retratos que facilitaron sus familiares a la policía. La mayoría de las imágenes se repetían en distintos tamaños y pertenecían a diferentes artículos de periódicos digitales o a fragmentos de los telediarios. Pero la última de ellas era más antigua y pertenecía a su etapa del colegio.

Erik pinchó en la imagen para ampliarla. Se dio cuenta en aquel preciso momento de que el té con leche le esperaba sobre la mesa. La infusión aún estaba muy caliente. Se quemó la lengua. Soltó un lamento y dejó la taza sobre el plato. Se sopló varias veces las yemas de los dedos. Pidió al camarero que le trajera un cubito de hielo y se lo colocó sobre la punta de la lengua. Cuando se sintió más aliviado, volvió a concentrarse en la última imagen de la pantalla de su ordenador. Se trataba de una foto que se había tomado para un periódico local. En ella se distinguía a un grupo de niños paseando por el interior de la galería de arte de Bremen junto a un profesor que los guiaba. Uno de los colegiales era Conrad Braun.

Vogler contempló con atención al grupo de niños. Fue paseando su mirada por sus rostros y de repente se detuvo en una niña que miraba a la cámara sonriente. Según sus cálculos, no tendría más de nueve años. Erik intentó ampliar la imagen pero no pudo. Así que guardó la foto en su escritorio y aplicó el zoom para ver con más detalle la cara de aquella niña que le resultaba tan familiar.

A continuación, buscó la imagen de Sandra Nadel que habían difundido los periódicos cuando se produjo su desaparición. Comprobó sorprendido que las dos tenían la misma sonrisa. No había duda, la niña de la fotografía del museo era Sandra Nadel de pequeña. Así que Conrad Braun y Sandra Nadel habían estudiado en el mismo colegio de Bremen y probablemente se conocían desde entonces. «Podían ser incluso amigos», pensó observando de nuevo la foto de la galería de arte. «Ahí está la conexión entre la primera y la tercera víctima», se dijo sin atreverse a tocar la taza de té de la que aún salía humo.

Tal como sospechaba, la tarde de su desaparición, el joven Conrad Braun había estado en la biblioteca pública de Bremen. Allí había coincidido con Sandra Nadel, de la que se despidió cuando ambos salieron del edificio.

—¡Que tengas mucha suerte con tu examen de mañana! —le deseó Sandra antes de emprender el regreso a casa.

—Gracias. ¿Irás el próximo lunes al club de ajedrez?

—Sí, seguramente. ¿Y tú?

—Lo intentaré. Si puedo, nos vemos allí y jugamos una partida. Hace ya tiempo desde la última vez.

—Bueno, me arriesgaré, aunque eres un rival muy peligroso… —bromeó Sandra.

—¡Mira quién fue a hablar, la ganadora del campeonato de Bremen!

—Venga, Conrad…, tú y yo sabemos que si hubieras participado y nos hubiésemos enfrentado en la segunda jornada, yo nunca hubiera llegado a la final. Fue ese dichoso ataque de asma lo que no te dejó inscribirte en el torneo.

El joven agradeció el cumplido con una sonrisa.

—¡El lunes en el club de ajedrez! —exclamó a modo de despedida levantando una de sus manos.

—¡Hasta el lunes! —le contestó Sandra Nadel, sin saber que nunca más volvería a verlo con vida.

Tras despedirse de su amiga, Conrad Braun tomó la calle Peizer para dirigirse a la vía Queeren, donde residía junto a sus padres. Ya había oscurecido en Bremen. Era el mes de febrero. Hacía un viento frío y, para protegerse, Conrad Braun se aferraba a su cuaderno y a los libros que acababa de sacar de la biblioteca. Cojeaba ligeramente de la pierna izquierda y, al respirar, dejaba un rastro de vaho suspendido en el aire. Al igual que en otras ocasiones, el muchacho se metió en una callejuela que le servía de atajo. Estaba desierta, como de costumbre. Pensó en que se le estaba congelando la nariz y se subió la bufanda todo lo que pudo.

A su espalda, escuchó de pronto un ruido de pasos. Al principio, sonaban distantes y apagados. Poco a poco, se fueron acercando hasta situarse a escasos metros del joven. Entretanto, Conrad Braun solo pensaba en Sandra Nadel, en su sonrisa y en la próxima vez que se encontraría con ella. Así que no miró, en ningún momento, hacia atrás sino que continuó sumido en sus reflexiones. Si lo hubiera hecho, si hubiese vuelto su cabeza un instante, habría visto a alguien que lo perseguía desde que salió de la biblioteca. Las pisadas del desconocido se aproximaron cada vez más hasta que el chico quiso mirar intuyendo el peligro. Pero era demasiado tarde para escapar.

Conrad Braun intentó huir cuando un brazo lo rodeó con fuerza por el pecho y, al mismo tiempo, una mano le cubrió la boca con un pañuelo empapado en cloroformo. Perdió el conocimiento pocos segundos después. En el suelo de la calle, el cuaderno de la joven víctima y dos libros se agitaban con el viento. Durante la noche, un empleado del servicio de limpieza se encargaría de recogerlos y tirarlos en el contenedor de reciclaje, borrando así cualquier huella de su desaparición.

Capítulo XIV

La sonrisa de Albert Zimmer

Aunque no era muy tarde, había anochecido cuando Erik Vogler salió de la taberna de Verner. Por el camino, iba ensimismado, recordando lo que había averiguado hasta entonces sobre los crímenes de Bremen.

Tan absorto estaba en sus pensamientos, que al principio no se dio cuenta de que alguien caminaba tras él. Sin embargo, los pasos de su perseguidor se fueron aproximando cada vez más. La calle estaba completamente vacía a esa hora y había dejado de llover.

El nieto de Berta escuchó de pronto unos zapatos en el silencio de las aceras. Apretó el portátil contra uno de sus costados al mismo tiempo que aceleraba el ritmo. La sombra que iba tras él se apresuró aún más. Vogler no se atrevió a mirar por encima de su hombro. No tenía ninguna duda de que alguien lo estaba siguiendo. Tragó saliva con dificultad y alargó sus zancadas. Pero el desconocido se acercaba cada vez más. Al llegar a una de las farolas, echó a correr de forma disimulada. Su perseguidor sonrió divertido y lo imitó hasta darle alcance. Súbitamente para su sorpresa, Erik escuchó una voz que le susurraba muy cerca de su cuello:

—¿Has terminado lo que tenías que hacer? —le preguntó Albert Zimmer.

Erik giró sobre sus talones, dio un salto hacia atrás y retrocedió con cara de espanto. Para protegerse, colocó el portátil entre su cuerpo y el de su vecino, que, en lugar de alejarse, se había abalanzado sobre él y no parecía dispuesto a marcharse.

—¡No es asunto tuyo! —se defendió él, que estaba contra la pared de una de las casas y no tenía escapatoria.

—¿Sigues interesado en el campeonato de ajedrez de Bremen?

—¡No sé de qué me hablas!

—«¡No sé de qué me hablas!» —contestó Albert imitando la voz de Erik Vogler de manera burlona—. Claro que lo sabes. Me refiero a la página web que estabas viendo en la taberna esta mañana. ¡No te hagas el tonto! En ese torneo participaron Leo Klein y Sandra Nadel. ¿Te suenan de algo?

Erik negó con la cabeza y subió su portátil para cubrirse el cuello. Se sentía acorralado. El rostro de Zimmer estaba a escasos centímetros de la nariz del nieto de Berta. Además, su vecino había apoyado las palmas de las manos sobre la pared de la casa y sus brazos impedían que Erik se moviera. No tenía escapatoria.

—Leo Klein y Sandra Nadel han sido asesinados en los últimos meses. Pero seguro que ya estás al corriente de los crímenes de Bremen —prosiguió mirando fijamente a Erik.

—No… No lo sabía.

—Yo conocía a Sandra… —soltó de pronto con gesto muy serio—. Íbamos al mismo instituto. Solía verla con frecuencia en el club de ajedrez y jugué contra ella la final del campeonato de jóvenes promesas. Me ganó en esa ocasión. Ahora está muerta, la encontraron apuñalada hace unos días a las afueras de Hamburgo.

Erik abrió los ojos de forma desmesurada. Su vecino conocía a la última víctima de Bremen. Intentó disimular su asombro y guardó silencio.

—Me encontré con ella la tarde de su desaparición —continuó Albert—. Coincidimos en la biblioteca pública de Bremen. Los dos buscábamos el mismo libro, una recopilación de poemas de Goethe para un trabajo de literatura. Como solo quedaba un ejemplar, dejé que se lo llevara prestado con la condición de que me lo pasara unos días después. Recuerdo que Sandra tenía prisa, había quedado con una amiga en el club de ajedrez y no quería retrasarse.

Erik seguía pegado contra la pared de la casa y escuchaba con atención cada frase. Apenas pestañeaba y sostenía con firmeza el ordenador, que le servía de barrera para protegerse de su vecino.

—Sandra Nadel está muerta —repitió el joven—, al igual que Leo Klein y Conrad Braun. Los tres eran buenos jugadores de ajedrez, los tres vivían en Bremen… ¿Qué opinas, Vogler? Es como si alguien estuviera jugando una horrible partida y se fuera cobrando piezas, una a una. Han caído tres… ¿Quién será la siguiente?

Zimmer sonrió sin apartarse de la pared sobre la que apoyaba sus manos. Fue una sonrisa irónica y misteriosa. Y, al mismo tiempo, fue una sonrisa que no conocía porque, esta vez, los labios de su vecino se abrieron sin timidez. Y, al hacerlo, dejaron entrever dos colmillos afilados y brillantes. Erik notó que las piernas le empezaban a temblar. El ordenador estuvo a punto de resbalar entre sus dedos y caer al suelo. Tomó una bocanada de aire helado. Sin pensarlo, se agachó con rapidez y pasó por debajo de uno de los brazos de Albert.

Después, echó a correr como un loco calle abajo. Sus Lombartini volaron sobre los charcos. De vez en cuando, caían en alguno de ellos. Pero, en aquel momento de histeria, a Vogler le daban igual sus zapatos italianos. Únicamente le importaban dos cosas: llegar sano y salvo a casa de su abuela y retornar lo antes posible a Bremen.

Capítulo XV

Noche de insomnio

Erik llegó sin aliento a casa de su abuela y golpeó la puerta con los nudillos varias veces. «¡Vamos, vamos!», se repetía en voz baja. Oyó unos pasos lejanos al otro lado de la madera. Giró la cabeza hacia la izquierda para cerciorarse de que Albert Zimmer no le perseguía. No había nadie en la calle salvo el gato negro que se le cruzó el primer día y que se acercaba por una de las aceras. Tenía la misma mirada amenazante de ojos amarillos y maullaba enseñando sus colmillos puntiagudos.

Volvió a llamar con desesperación.

—¡Ya va, ya va! —exclamó Berta mientras bajaba por las escaleras.

El gato negro estaba a un par de metros de él y se había arqueado apoyándose sobre sus uñas. Tenía el pelo del lomo erizado. Parecía dispuesto a saltar sobre el joven para clavarle sus garras en cualquier momento. Erik golpeó de nuevo la puerta con todas sus fuerzas. En cuanto vio que se entreabría, se coló entrando de lado en el salón de Berta.

—¡Vaya, qué prisas traes! —protestó su abuela apartándose para permitirle el paso.

—¡Perdona! —se excusó mientras intentaba recuperar el aliento y se inclinaba hacia atrás.

—¿Te encuentras bien? —preguntó Berta observándolo con curiosidad desde la entrada.

Erik asintió con la cabeza y levantó una mano para quitarse la bufanda. Creía que le iban a estallar los pulmones. Su rostro se veía pálido y cubierto por un sudor frío. Ante la mirada atónita de su abuela, se dejó caer sobre el sofá del salón. Los Lombartini estaban hechos un asco. Deshizo los nudos de los cordones, los tomó en sus manos y decidió ir a su dormitorio a cambiarse de ropa.

Apenas había comenzado a subir los primeros peldaños de la escalera cuando un objeto pequeño resbaló de uno de los bolsillos de su abrigo. Berta lo vio caer rebotando contra los escalones hasta que llegó a la alfombra de la entrada. Se agachó despacio y lo tomó entre sus manos. Se trataba de la pieza del rey blanco manchada de sangre.

La abuela levantó la mirada y la clavó en su nieto, que se había quedado paralizado al ver la escena.

—¿Me lo puedes explicar?

—La… la encontré en mi habitación, abuela. No sé cómo volvió a llegar hasta allí, de verdad.

—¿Y la sangre?, ¿es tuya?

—No, no es mía… —confesó—. No sé de quién es. Cuando apareció en mi dormitorio, ya estaba manchada.

—No sé qué está sucediendo aquí, Erik. Pero estás más raro que de costumbre… ¿Has pasado toda la tarde en la taberna de Verner?

—Sí, claro. ¿Por qué lo preguntas?

—Porque esta tarde, mientras reparaba mi bicicleta en el sótano, he escuchado un ruido en el salón. Cuando he subido, el equipo de música estaba encendido y alguien había colocado un disco en su interior. La funda estaba tirada en el suelo.

—¿Qué disco? —preguntó Erik adivinando la respuesta.

—Uno de Schubert, *La muerte y la doncella*. Pensé que lo habrías puesto tú…

—He estado toda la tarde en la taberna, te lo prometo. Puedes preguntarle a Verner.

Berta lo miró con desconfianza, deseando con todas sus ganas que fuera domingo, que su hijo Frank llamase a su puerta y se llevara al plomo de su nieto de vuelta a la ciudad. Sin embargo, guardó silencio. Volvió a mirar la pieza del rey blanco ensangrentada. ¿Qué demonios le ocultaba aquel crío con cara de pánfilo que la miraba desde la escalera? ¿Qué había descubierto Erik? ¿A qué se dedicaba en la taberna de Verner? Estaba claro que su nieto no estaba dispuesto a contarle nada.

Berta Vogler apretó los labios y, después, le hizo un gesto enérgico con el brazo para que subiera a su habitación. Erik obedeció y desapareció escaleras arriba. Un rato más tarde, bajó a la cocina vestido con un pijama de color dorado y unas zapatillas a juego. Llevaba además un batín marrón de raso. Casi no probó bocado durante la cena. Su abuela había colocado el rey blanco en el centro de la mesa. Ninguno dijo nada hasta que llegaron a los postres. Entonces, Berta se puso muy seria, carraspeó y soltó: «Ya hablaremos mañana».

Vogler subió los escalones cabizbajo. Al entrar en su dormitorio, se dirigió a la mesilla de noche y abrió el primer cajón, donde había guardado el mensaje con las misteriosas palabras de Goethe. Se sentó en la cama y las releyó muy despacio en voz alta:

«Cuando al final (ahora nada puede salvarlo)
En un diente de hierro fue capturado,
Cuando el luctuoso brillo de la luna se apagaba…».

¿Qué quería decirle Sandra Nadel con aquellos versos? ¿Por qué los había llevado a Grasberg? ¿A qué se refería con que nada podía salvarlo? ¿Era cierto que el asesino estaba jugando al ajedrez con sus víctimas como le había insinuado Albert Zimmer? ¿Quién sería el próximo en morir? ¿Quién sería la siguiente pieza que iba a caer? Estas y otras preguntas se sucedían en su cabeza aquella noche.

También pensó en su abuela, en la pieza del rey blanco que había rodado por las escaleras, en lo que le había dicho Berta al terminar la cena: «Ya hablaremos mañana». Por supuesto Erik no quería hablar con ella ni con nadie del fantasma de Sandra Nadel, ni de su último encuentro con Zimmer, ni de los otros crímenes que habían sucedido en Bremen y sobre los que había investigado. Tan solo deseaba volver a casa y alejarse de aquel lugar.

Buscó su teléfono móvil y envió un mensaje a su padre diciendo que le echaba de menos. Luego deshizo con lentitud el cinturón de su batín, lo colgó sobre el respaldo de una silla y se metió bajo las mantas de pelotillas. Apoyó la cabeza sobre la almohada y recordó las palabras de Albert Zimmer: «…jugué contra ella la final del campeonato de jóvenes promesas. Me ganó en esa ocasión. Ahora está muerta…». Erik cerró los ojos durante unos segundos. «Así que Sandra Nadel derrotó a Zimmer en la final del torneo…», pensó. «Entonces, ¿quién es el rey blanco manchado de sangre? ¿Quién asesinó a Sandra Nadel?», se preguntó abriendo los párpados y fijando su mirada en el techo de la habitación.

Fueron cayendo los minutos y, aunque lo intentó, apenas logró dormir unos instantes. Fue una terrible noche de insomnio en la que se mezclaban continuas imágenes: el fantasma de Sandra Nadel en el pasillo, los colmillos afilados de Albert Zimmer, el gato negro de los ojos amarillos, la pieza del rey manchada de sangre…

De madrugada, empezó a llover con fuerza. Las gotas golpeaban los cristales del balcón. El nieto de Berta miraba, de vez en cuando, en dirección a los ventanales. Rezaba para que el espectro de Sandra Nadel no reapareciera detrás de ellos como lo había hecho la primera noche que pasó en Grasberg. Fueron transcurriendo las horas de manera lenta, al menos a él se le hicieron infinitas. Pensaba en las ganas que tenía de regresar a Bremen, en volver a su ciudad.

Al amanecer, cesó la lluvia. Erik que se había pasado toda la noche en vela, se quedó dormido, derrotado por el cansancio. Eran poco más de las siete de la mañana. Cuando despertó y miró su reloj se quedó perplejo. «¡Las doce y media!», exclamó sorprendido al ver lo tarde que era. Se incorporó de la cama lo más rápido que pudo. Se vistió y calzó de forma apresurada. Guardó su ropa en la maleta y también su portátil. Dejó su equipaje preparado en la habitación. Revisó el cajón de la mesilla para que no se le olvidara nada. Sacó de él algunos objetos personales y el mensaje de Sandra Nadel con los versos de Goethe. Metió este último en el bolsillo interior de su abrigo. A continuación, bajó las escaleras y, al llegar al salón, se dio cuenta de que su abuela había salido. «Volveré a la hora de comer», decía una nota que le había dejado en la mesa del comedor.

Sin dudarlo, se puso el abrigo y salió a la calle. Era una mañana de viernes y soplaba un viento furioso. La gomina que se había echado en el pelo no pudo resistir las continuas ráfagas de aire y, al final, sus delicados cabellos acabaron apuntando en diferentes direcciones, desafiando a la gravedad y rebelándose contra el mundo. Pero el nieto de Berta aceleró el paso, ajeno al desorden de su peinado y a las manchas de sus Lombartini. Caminando a buen ritmo se dirigió a la parada de autobuses de Grasberg y leyó los horarios.

De vuelta a casa, un golpe de viento le arrancó la bufanda del cuello. «¡Oh, no, mi bufanda de angora!», se lamentó echando a correr tras ella. Durante unos segundos, quedó suspendida en el aire. Intentó alcanzarla dando pequeños saltos. Fue en vano. El viento cambió de dirección y la bufanda se precipitó, sin remedio, sobre uno de los charcos de la calle.

Capítulo XVI

La decisión de Erik

Cuando Erik regresó a casa, su abuela ya había llegado y lo esperaba en la cocina. Había preparado una sopa de verduras y su aroma se extendía por todo el salón.

—¡Vaya pelos! —exclamó sorprendida al verle entrar por la puerta—. ¿De dónde vienes?, ¿qué te ha sucedido? —preguntó contemplando los cabellos del joven y la bufanda manchada de barro que arrastraba con gesto melancólico.

Con un rápido movimiento, su nieto se llevó las manos a la cabeza. Luego buscó su reflejo en uno de los cristales del aparador. Vio entonces una imagen terrorífica. Allí estaba su rostro: pálido, ojeroso, espantado y, un poco más arriba, aquellos pelos que parecían salir del infierno.

Sin decir una palabra subió a su dormitorio, buscó en su bolsa de aseo herramientas con las que recomponerse: peine, gel fijador, crema hidratante, antiojeras… Y, a continuación, frente al espejo del cuarto de baño, colocó cada cabello en su sitio. Con idéntica precisión, atenuó el cansancio de sus párpados. Por último, se echó un poco de colonia en el cuello. Contempló su aspecto. Se sintió algo mejor. Volvió a la habitación y guardó su bufanda de angora en una bolsa hermética de plástico que introdujo en la maleta. «La lavaré a mano cuando llegue a casa», se dijo para tranquilizarse.

Al bajar a la cocina, su abuela ya había dispuesto los platos en la mesa y estaba sirviendo la sopa. El caldo humeaba tanto que esperaron a que se enfriara sentados uno frente al otro. Ella aprovechó el momento para meterse la mano en un bolsillo de su bata y colocar, a continuación, la pieza del rey blanco en el centro de la mesa, al igual que la había puesto la noche anterior. Pero esta vez parecía dispuesta a hablar y a exigir explicaciones. Erik contempló la figura de ajedrez y esquivó la mirada de Berta por unos instantes.

—Todavía estoy esperando que me digas qué está pasando aquí —empezó su abuela—. Ya sé que te gustaría estar en Nueva York con tu padre o en Bremen. Entiendo que preferirías pasar las vacaciones en cualquier sitio menos en mi casa, pero soy responsable de ti durante estos días y me esfuerzo por entenderte. Sin embargo, no te voy a negar que, desde que llegaste, tus reacciones me tienen desconcertada, Erik. ¿No tienes nada que decir?

—…Lo siento.

—No necesito una disculpa. Solo querría saber qué rayos significa esta pieza de ajedrez cubierta de sangre. ¿Te has metido en algún lío?

—No… Ya te dije que la encontré así en mi habitación.

—Está bien, está bien, apareció con la sangre y no sabes cómo ha llegado hasta tus manos —reflexionó Berta en voz alta para cambiar de tema—. ¿Y dónde has estado esta mañana?

—Fui a dar un paseo, quería despejarme —improvisó.

—Un paseo… —repitió su abuela apoyando los codos sobre la mesa—. A partir de ahora y hasta que tu padre venga a recogerte —le advirtió sin apartar la mirada de su nieto—, estarás en casa o saldrás conmigo y me acompañarás a todas partes. Sé que me ocultas algo y que no estás dispuesto a soltar prenda pero no voy a permitir que te ocurra nada ni que te metas en algún problema estando bajo mi tutela. ¿Entendido?

Erik asintió y apoyó las palmas de sus manos sobre la servilleta que había colocado en sus piernas.

—Y, ahora —continuó Berta para zanjar la conversación—, vamos a comernos la sopa, que se enfría.

Su abuela tomó una primera cucharada del caldo, que todavía estaba humeante. Su nieto la imitó y se abrasó el paladar. Pero no protestó. Bebió un sorbo de agua fría y se armó de valor antes de tomar la siguiente cucharada. Al terminar la comida, Berta Vogler se quedó en la cocina fregando los platos.

Con la disculpa de que tenía que lavarse los dientes, Erik subió a su habitación. Tomó un tubo de dentífrico y el cepillo y entró en el cuarto de baño. Cuando estaba delante del espejo, sacó la lengua. Comprobó que se le había quemado y que le habían salido pequeñas ampollas en los laterales. «¡Maldición!», se dijo estrujando el tubo de pasta.

Después, se miró a los ojos. «Ha llegado el momento», se repitió con gesto decidido. Salió del cuarto de aseo y se asomó a las escaleras. Comprobó que su abuela seguía en la cocina. Así que cogió su maleta y el paraguas. Después de consultar su reloj, se puso el abrigo. «Tengo el tiempo suficiente», se animó al abrir la puerta de su dormitorio. El siguiente autobús para Bremen saldría en menos de quince minutos.

Tomó la maleta en brazos para ser lo más silencioso posible y, con mucho cuidado, comenzó a bajar los peldaños de las escaleras. Desde aquel lugar podía escuchar el ruido de los cacharros en el fregadero. Erik siguió descendiendo evitando rozar el pasamanos. Casi no respiraba. Había llegado a la mitad de la escalera pero el peso de la maleta le resultaba insoportable.

«¡Ya falta poco!», se repitió sin apartar la mirada de la puerta de la cocina. Mantuvo la calma, descansó unos segundos y tomó aire. Dio otro paso más. Por un momento, su Lombartini izquierdo quedó en el aire y estuvo a punto de salirse del siguiente escalón. Rectificó en el último momento para evitar la caída. Escuchó su corazón latiendo con fuerza. «Solo quedan tres escalones, solo tres», pensó.

Bajó controlando cada uno de sus movimientos. Segundos más tarde estaba frente a la puerta de la entrada. Depositó la maleta en el suelo con delicadeza. Giró el pomo de la puerta, que soltó un ligero chasquido. Apretó los labios. Se quedó muy quieto, no se atrevió a mirar por encima de su hombro. La cocina estaba en silencio. De pronto escuchó el ruido del agua correr en el lavaplatos. Respiró hondo. Abrió la puerta principal, agarró la maleta y salió corriendo hacia la parada de autobuses de Grasberg.

Capítulo XVII

El autobús de Bremen

Erik Vogler atravesó la calle a toda velocidad. Las ruedas de su maleta Chantel rebotaban contra el suelo y dejaban la estela de los charcos que iban atravesando. El cielo estaba encapotado, seguía soplando un viento desagradable y amenazaba lluvia. «Menos de diez minutos para la salida», pensaba el nieto de Berta apretando el paso. Llegó a un parque y se internó en él. Debía cruzarlo para llegar a la parada de autobuses de Grasberg. Una vez que se montara en el de Bremen, dejaría atrás la pesadilla de los últimos días.

Cuando estaba a punto de salir del jardín, escuchó una voz que gritaba su nombre. La reconoció al instante.

—¡Vogler, Vogler, espérame!

Desde el otro lado del parque, Albert Zimmer le hizo un gesto con el brazo esperando que Erik se girase. Pero el nieto de Berta fingió que no había oído nada y aceleró aún más el ritmo de sus zancadas.

—Vogler, ¿dónde vas? —chilló su vecino echando a correr por uno de los senderos de tierra.

Al escuchar de nuevo los gritos de Zimmer, miró por encima de su hombro y descubrió su figura avanzando con rapidez entre los troncos de los árboles y los arbustos. Erik abrió los ojos espantados.

Si su vecino le daba alcance, no llegaría a tiempo para tomar el autobús. Se detuvo un instante, lo preciso para agarrar el equipaje entre sus brazos y empezar a correr de forma endiablada. Como estaba tan nervioso, cruzó la calle sin mirar. Tuvo suerte de que en ese momento ningún vehículo la atravesara. Sin abandonar su loca carrera, esquivó a una señora que paseaba por la acera y le amenazó con un paraguas.

Vogler miró a lo lejos. Desde allí distinguió la parada de autobuses. Tomó aire. Se abrazó a la maleta y continuó corriendo. Le dolía el costado, sentía los pinchazos de la respiración entrecortada. Casi no podía respirar. «Mi Chantel pesa demasiado», pensaba. Pero no tenía más remedio que seguir adelante si quería escapar de aquel pueblo, de su abuela y, sobre todo, de Albert Zimmer.

Recordó la sonrisa inquietante de su vecino, los colmillos sobresaliendo a ambos lados de su mandíbula. Apretó la maleta Chantel con todas sus fuerzas. Su perseguidor estaba a punto de abandonar el parque y no cejaba en su empeño de alcanzarlo. Un autobús asomó de pronto por la esquina de la calle. Zimmer, que estaba a punto de cruzar a la carrera, tuvo que detenerse en seco y esperar a que el vehículo pasara, a muy poca distancia, delante de él. El conductor le hizo un gesto de reproche con la cabeza.

Entre tanto, Erik había conseguido una pequeña ventaja y aguardaba en la parada, aferrado a su maleta e intentando recuperar el aliento. Con creciente inquietud, el nieto de Berta repartía la mirada entre su perseguidor y el autobús que se acercaba hacia él con lentitud. Erik clavó sus ojos en la luna delantera del vehículo. Vio entonces un letrero que indicaba *Bremen*. «¡Al fin, un poco de suerte!», se dijo.

Nada más abrirse la portezuela, subió de manera precipitada al autobús y pagó un billete.

—¡Venga, venga, vámonos ya! —repetía entre dientes sin apartar la mirada del cristal de la puerta, que aún permanecía abierta.

El vehículo arrancó justo cuando Albert llegaba a su altura. La portezuela del autobús se cerró delante de sus narices. El joven lanzó una patada al aire en señal de protesta, a la que el conductor respondió con una mirada justiciera a través del espejo retrovisor. Zimmer parecía sujetar un objeto en su mano izquierda que agitó varias veces sabiéndose derrotado.

Después de colocar su maleta en el portaequipajes, Erik se dejó caer en el primer asiento, junto a la ventana. No quiso mirar atrás. Se apoyó en su codo izquierdo y cerró los ojos. Su corazón seguía latiendo de forma frenética. Escuchó la alarma de su móvil. Acababa de recibir un mensaje. Su padre le decía que ya faltaba poco para que se vieran y que tuviera paciencia con la abuela. Al leer sus palabras, Erik se sintió avergonzado. Cuando su padre supiera que se había escapado de Grasberg, le iba a caer una bronca descomunal.

El autobús continuaba avanzando en dirección a Bremen. Los kilómetros iban pasando, las ruedas los devoraban poco a poco. Los latidos de su corazón habían vuelto a su ritmo habitual. La ciudad estaba cada vez más cerca.

Lanzó un pesado suspiro. A través del cristal delantero del autobús, distinguió las afueras de Bremen y no pudo evitar una sonrisa de alivio. Se había librado de Albert Zimmer, de los sermones de su abuela, de los colchones húmedos y las mantas con pelotillas, de las noches de insomnio y, por qué no soltarlo de una vez, quizá hubiera dejado en Grasberg al fantasma de Sandra Nadel. Recordó la pieza ensangrentada del rey blanco y sacudió la cabeza para intentar borrar su imagen. Tenía que olvidar aquellos crímenes. «No son asunto mío», pensó. Y tomó la determinación de mantener su mente ocupada en otros temas mientras sintonizaba música en su móvil.

Algo más tarde, el conductor detuvo el vehículo en su parada final. Erik contempló la calle, los escaparates de las tiendas, las aceras, los viandantes silenciosos que caminaban absortos en sus pensamientos. ¡Por fin había llegado a Bremen!

Descendió los escalones del autobús con la sensación liberadora de que había derrotado a Albert Zimmer y se había librado del fantasma de Sandra Nadel. Atrás quedaban unos días espantosos que deseaba olvidar pronto, atrás quedaban Grasberg y su excéntrica abuela. La llamaría en cuanto llegase a casa para que no se preocupara. Seguro que, en el fondo, se alegraba de que se hubiera largado a Bremen. O, al menos, era lo que necesitaba pensar para no sentirse culpable.

No tardó mucho en sentir las primeras gotas de lluvia que resbalaban sobre su rostro. Buscó un paraguas, lo abrió e inclinó la maleta. Las ruedas se deslizaron sobre el suelo siguiendo las pisadas de su dueño.

El autobús de Bremen se quedó muy quieto en medio de la ciudad. Sus faros parecían observar al joven que se alejaba cubierto por un paraguas negro.

Capítulo XVIII

Las llaves perdidas

Poco antes de llegar a su calle, Erik metió la mano en el bolsillo derecho de su pantalón y se percató entonces de que las llaves de su casa no estaban en él.

Avanzó hasta colocarse debajo de la marquesina de una tienda para protegerse de la lluvia. Cerró el paraguas y lo dejó apoyado contra el escaparate de cristal. Soltó su maleta Chantel y comenzó a tantearse los bolsillos del abrigo y del pantalón. A medida que pasaba de uno a otro y comprobaba que las llaves no aparecían por ninguna parte, empezó a ponerse nervioso.

«¿Dónde estarán?», se preguntaba mientras desabrochaba el abrigo para acceder a los bolsillos interiores. Abrió las dos cremalleras y sus dedos bucearon en cada uno de ellos, aunque no tuvieron éxito. Durante el proceso de búsqueda, encontró el papel con los versos de Goethe, el teléfono móvil, un monedero de piel, tres caramelos de miel para la tos, un pañuelo de seda con sus iniciales… Pero ni rastro del llavero.

«¿Se me habrán caído mientras huía de Albert Zimmer?», pensó de repente arqueando las cejas. Resopló varias veces antes de repetir los mismos movimientos en busca del llavero. Un par de minutos después, tuvo que resignarse y reconocer que lo había perdido.

Imaginó sus llaves desparramadas por el parque de Grasberg. «¡Maldita sea!, ¿y ahora qué hago?», se preguntó apoyando su espalda en el escaparate de la tienda. Durante un momento se sintió perdido.

«Soy un fugitivo —se dijo—. Lejos de casa de mi abuela, con mi padre en Nueva York, sin llaves, bajo esta lluvia que no cesa».

—¡Chico, no te apoyes en mi escaparate! —protestó un anciano abriendo de golpe la puerta de su relojería.

Asustado por el grito del propietario de la tienda, Vogler se incorporó y pidió disculpas con la mirada. Como no sabía qué hacer, entró en una acogedora cafetería para refugiarse del frío y del agua. Apenas había pedido un zumo de piña sin hielo, cuando una sonrisa acudió a sus labios. Tenía la solución. Se había acordado de que su padre solía dejar un juego de llaves en casa de su vecino cuando salían de viaje o se marchaban de vacaciones. «¡El señor Adler me podrá abrir!», suspiró más tranquilo.

Disfrutó en silencio de aquella pequeña victoria saboreando su zumo. De vez en cuando le asaltaba la imagen de su abuela y pensaba en que tenía que llamarla por teléfono nada más llegar a casa. No quería hacerlo desde el móvil. Aunque no sabía muy bien qué le iba a decir, ni cómo iba a disculparse por aquella huida imprevista, en su casa se sentiría seguro y recobraría las fuerzas para argumentar su reacción. Después de un rato contemplando la lluvia tras los cristales de la cafetería, apuró el vaso de zumo.

Cuando ya se notaba más tranquilo, varias dudas le vinieron a la mente. ¿Se habría marchado su vecino de vacaciones? En ese caso, ¿qué haría entonces? ¿Cómo lograría entrar en su piso? ¿Dónde podría pasar la noche? Se levantó del taburete y pagó a la camarera con aire distraído. «Lo único que necesito —se repitió— es que el señor Adler no haya salido esta tarde».

Al abandonar la cafetería, Erik tuvo que abrir de nuevo el paraguas. Estaba oscureciendo y las luces de las farolas empezaban a iluminar las aceras.

De regreso a casa, pasó por delante de un cruce. Miró hacia la derecha. En esa calle estaba el club de ajedrez al que acudían Sandra Nadel, Leo Klein y Conrad Braun. Un escalofrío ascendió por su cuello. Se subió las solapas del abrigo para protegerse la garganta y, con paso decidido, caminó en línea recta.

No tardó mucho en llegar hasta su calle. Vivía con su padre en un edificio de dos alturas. Ellos ocupaban uno de los dos pisos de la primera planta, junto al señor Adler, su vecino de la puerta de al lado. Mientras que en la segunda planta había dos áticos. Uno estaba deshabitado desde hacía tiempo, y el otro, situado encima de la casa de los Vogler, era propiedad de la anciana señora Úrsula Rhomer.

Justo cuando se disponía a subir los peldaños que lo separaban del portal, la puerta se abrió y la señora Rohmer apareció tras ella. La vecina lo saludó con un leve movimiento de cabeza mientras se ajustaba su sombrero. El joven le correspondió sujetándole la puerta.

—¡Hace un tiempo de perros! ¡Lleva toda la Semana Santa sin parar de llover, así no me voy a curar nunca este catarro! —protestó la señora Rohmer contemplando las gruesas gotas de agua que golpeaban contra los tejados de Bremen—. ¡Gracias, Erik!… ¡Vaya, vuelves de viaje! —apuntó reparando en la maleta.

—Eh…, sí, sí… Hemos estado fuera unos días —acertó a responder.

—¿Y tu padre?

—¿Mi padre? —repitió desconcertado—. Mi padre está a punto de llegar también, claro. Regresamos de las vacaciones…, venimos ahora mismo del aeropuerto —sentenció.

—¿Y adónde habéis viajado esta vez? —preguntó sacando un pañuelo del bolsillo de su abrigo para sonarse la nariz.

—A Nueva York.

—¡Nueva York!… Yo estuve allí hace muchos años con mi marido —recordó con nostalgia al mismo tiempo que hacía una bola con el pañuelo y lo ocultaba en la manga de su chaqueta—. A nosotros nos encantó. ¿Lo habéis pasado bien?

—¡Fenomenal, fenomenal!… Bueno, me alegra mucho haberla visto —dijo Erik intentando despedirse de su vecina—. ¿Qué tal por aquí? —preguntó mientras entraba en el portal y forzaba una sonrisa intentando parecer amable.

—Todo bien, todo bien —respondió la señora Rohmer—. Bueno —confesó con gesto preocupado antes de abrir su paraguas—, un poco alarmada con las últimas noticias, claro.

—¿Las últimas noticias?

—Sí, los asesinatos de esos jóvenes. No sé si te habrás enterado, pero hace unos días apareció una chica muerta en Hamburgo. Se llamaba Sandra Nadel y era la nieta de una buena amiga. Su familia vive en Bremen. Voy precisamente ahora a visitarla para darle mis condolencias. ¡Qué lástima! —suspiró—. Su nieta solo tenía quince años…

Erik no supo qué decir. Se quedó muy pálido observando cómo la anciana bajaba con lentitud los escalones que la separaban de la acera. Hasta que no la vio desaparecer por la calle, no pudo reaccionar. Luego, en silencio, subió no sin dificultad los peldaños que conducían a la primera planta del edificio. Las ruedas de su maleta se detuvieron en el rellano de la escalera frente a la puerta del señor Adler. Pulsó el timbre una vez. No escuchó ningún ruido al otro lado. Llamó de nuevo.

Capítulo XIX

Una desagradable sorpresa

Erik Vogler se mordisqueó el labio inferior. Volvió a insistir por tercera vez pulsando el timbre de la puerta. La casa de su vecino permanecía en silencio. Por un momento, el nieto de Berta se temió lo peor. «Quizá el señor Adler esté de vacaciones. Quizá se haya marchado también a Nueva York y esté comiendo en el mismo restaurante que mi padre a esta hora. ¿Y entonces qué voy a hacer?», se preguntaba cabizbajo. Volver a casa de su abuela era su última opción. Eso lo tenía claro. Pero ¿dónde iba a dormir esa noche?

Abatido, se dejó caer en uno de los peldaños de las escaleras y apoyó la cabeza en su maleta. Fue entonces cuando escuchó unos pasos que se acercaban al otro lado de la puerta. Después, el chasquido de la cerradura que se abría muy despacio. Erik se levantó de un bote y se colocó frente a ella. Ensayó una sonrisa. Definitivamente, el señor Adler no había salido de vacaciones, ni estaba en Nueva York. Afortunadamente, se había quedado en Bremen y además tenía un juego de llaves de su casa. El nieto de Berta respiró más tranquilo.

—Buenas tardes, señor Adler.

—¿Erik?, ¿qué haces tú aquí? —preguntó extrañado—. Tu

padre me había comentado que os ibais a Nueva York y no regresabais hasta el sábado por la noche.

—¡Buff! —suspiró el joven—. ¡Es una larga historia! Al final, no pude ir con él porque se confundió al sacar los billetes y me he quedado estos días con mi abuela, en Grasberg.

—¿Y tu padre?

—Sigue en Nueva York, no regresa hasta mañana y, para colmo, esta tarde, de camino a Bremen, he perdido mi llavero. No puedo entrar en casa. ¿Me podría prestar las llaves que le dejó mi padre?

—Claro, por supuesto. Pero, pasa, por favor. No te quedes ahí fuera. Frank vino a dármelas un par de días antes de las vacaciones, como suele hacer. Tienen que estar por aquí…

—Gracias —contestó entrando en el piso.

En alguna ocasión, Erik Vogler había estado con su padre en aquella casa. Habían sido visitas muy breves, para tratar temas del edificio o bien para hacerse algún favor entre vecinos. En cualquier caso, a Erik le resultaba familiar el salón al que había entrado mientras esperaba al señor Adler. Así que se quitó el abrigo y aguardó a que su vecino regresara.

—Creo que guardé las llaves en mi estudio, voy a buscarlas. Siéntate en el sofá, pareces cansado —le sugirió el señor Adler al mismo tiempo que desaparecía por el pasillo de la vivienda.

Siguiendo su consejo, se acomodó y respiró hondo. Había oscurecido en Bremen y la lluvia continuaba golpeando los cristales de la sala. Frente al sofá, una mesa de madera rectangular sembrada de libros. Paseó su mirada por los volúmenes, algunos permanecían abiertos y dejaban al descubierto marcadores de páginas o anotaciones en los márgenes. Otros se apilaban formando torres en dudoso equilibrio. Para distraerse, empezó a leer en silencio los nombres de los autores que figuraban en los libros cerrados.

En la primera torre encontró a William Shakespeare, Byron, Dickens y Virgina Woolf, entre otros. En la segunda, descubrió los nombres de Kerouac, Steinbeck, Truman Capote y Arthur Miller. En la tercera, surgieron Baudalaire, Rilke, Margerite Duras, Kafka, Solzhenitsyn, Chéjov y, en la cúspide, Goethe.

La mirada de Erik se detuvo en este último libro que descansaba en la parte superior de la tercera pila. Debajo del nombre del poeta, había una pegatina con un número de registro. Erik intentó tranquilizarse. El ejemplar que contemplaba en silencio pertenecía a una biblioteca pública de Bremen.

Con los ojos clavados en el tejuelo del libro, el nieto de Berta abrió el interior de su abrigo. Sus dedos se movían nerviosos. Buscó en su libreta la anotación del número de registro del libro que había sacado Sandra Nadel la tarde de su desaparición. Pasó las hojas con rapidez hasta dar con lo que buscaba. Leyó entonces el número de registro que había copiado en la taberna de Verner.

—¡No puede ser, no puede ser! —se repitió en voz baja tomando entre sus manos el libro de Goethe.

Horrorizado, comprobó de nuevo la pegatina. No había duda, los números de identificación coincidían. Aquel era el libro de Goethe del que le había hablado Albert Zimmer, el libro de la joven asesinada.

Entonces, sin atreverse a abrirlo, imaginó que entre sus páginas incluiría los versos de «La danza de la muerte» que alguien había dejado sobre su almohada. Sintió que la sangre se le congelaba en las venas.

—¡He encontrado tus llaves! —exclamó de pronto el señor Adler desde el otro extremo de la casa.

Sobresaltado al escuchar su voz, el nieto de Berta dio un bote en el sofá. Las pisadas de su vecino avanzaban por el corredor. Erik guardó su libreta y se apresuró para volver a colocar el libro en su lugar. El corazón le latía con violencia. De forma repentina, los pasos del señor Adler se detuvieron a la altura de la cocina.

—Estaba a punto de preparar una infusión. ¿Qué te apetece tomar: té o manzanilla?

«¿Una infusión?», pensó el joven sin apartar la vista de la puerta principal. Lo único que le apetecía en ese instante era salir lo antes posible de la casa del señor Adler. Pero para escapar de allí, necesitaba conseguir sus llaves. Así que tendría que controlarse y aparentar normalidad. Apretó los puños, carraspeó y, con toda la sangre fría que fue capaz de reunir, pidió una manzanilla elevando todo lo posible el volumen de su voz.

Su vecino apareció poco después en el salón llevando una bandeja con las infusiones que intentó depositar encima de la mesa. Como apenas había espacio libre en ella, la tercera torre de libros cayó al suelo.

Erik se arrodilló inmediatamente y, evitando mirar a los ojos de su vecino, comenzó a recogerlo. El señor Adler lo imitó y, en poco tiempo, entre los dos habían vuelto a apilarlos sobre la alfombra. Quedaba un único libro que se había abierto por la mitad. Las manos del joven y del señor Adler coincidieron sobre sus páginas. Una de ellas estaba rasgada, faltaba un fragmento de un poema de Goethe. Al darse cuenta, Erik apartó sus dedos como si el papel le hubiese dado un calambre, como si sus páginas quemaran.

—¡Esto está abarrotado! Perdona el desorden —se excusó el señor Adler tomando la pila de libros entre sus brazos—. Los colocaré en la estantería de mi estudio. Ahora mismo vuelvo. Si quieres, puedes echarte azúcar en la manzanilla mientras se va enfriando –le propuso mirándole fijamente a los ojos.

–Muchas gracias… –respondió agarrando una cucharilla que hundió en el azucarero.

Al ver que el señor Adler salía de nuevo del salón, Erik empezó a soplar con fuerza sobre la manzanilla. Así tardaría menos tiempo en largarse de aquella casa, o eso se decía para darse ánimos. Entre tanto, su vecino había entrado en el estudio y buscaba un lugar donde poner los libros. Una vez lo encontró, se dio la vuelta y se inclinó sobre su equipo de música.

Mientras seguía soplando sin descanso para enfriar la infusión, un disco antiguo empezó a girar en el tocadiscos. El señor Adler colocó con delicadeza la aguja y subió el volumen del aparato. Vogler dejó de soplar al instante. Su rostro se desencajó. La melodía de *La muerte y la doncella* había empezado a sonar por toda la casa. Poco después, su vecino regresó al salón y se sentó en una de las butacas, junto a la mesa. Parecía tranquilo. Tomó su taza de té y se la llevó a los labios.

–¡Está ardiendo! –protestó dejándola sobre un pequeño plato.

Y observando a Erik, le preguntó con curiosidad:

–¿Cómo puedes haberte tomado ya la mitad de tu infusión? La mía está casi hirviendo.

–He soplado un poco y ya no quema –repuso sin dejar de darle vueltas a la cucharilla.

–¿Te gusta la música clásica? –preguntó el señor Adler cruzando las piernas y recostándose en su butaca.

–Eh…, bueno, un poco.

–¿Conoces esta melodía? –preguntó levantando el dedo índice y señalando hacia arriba.

–No, no la había oído nunca –mintió moviendo la cucharilla a más velocidad.

—Es una pieza de Schubert que a mí me encanta. Se titula *La muerte y la doncella*. Podría escucharla durante horas y horas y no me cansaría. Me la sé de memoria.

El señor Adler cerró los ojos y comenzó a tararear la melodía. Con su cucharilla del té dibujaba pequeñas ondas que seguían el ritmo de los instrumentos. Erik lo contemplaba horrorizado. Acababa de darse cuenta de por qué esa música le había resultado tan familiar desde la primera vez que la escuchó en la casa de su abuela, en Grasberg. Acababa de averiguar, al fin, dónde la había escuchado.

Había sido a través de la pared de su piso, a través del muro que lo separaba del señor Adler. El fantasma de Sandra Nadel solo había intentado avisarle del peligro que corría. «Seguramente habría tenido que escuchar esa melodía antes de morir», se dijo impresionado al mismo tiempo que apuraba con un largo trago su manzanilla.

Aparentando tranquilidad, Erik buscó con la mirada las llaves de su piso en la mesa del salón. No había ni rastro de ellas. Su vecino continuaba con los ojos cerrados, trazando arabescos en el aire como si estuviera dirigiendo una orquesta imaginaria. De pronto, abrió los ojos y soltó:

—¿Sabes jugar al ajedrez?

—No tengo ni idea —respondió el chico levantándose del sofá como movido por un resorte.

—¡Vaya, qué lástima!

—Muchas gracias por la manzanilla, estaba deliciosa. Bueno —añadió mientras agarraba con una mano el asa de su maleta Chantel y recogía su abrigo con la otra—, debería irme ya a casa… ¿Me podría dar las llaves, por favor?

El señor Adler insistió:

—Si quieres, podría enseñarte a jugar al ajedrez. Cuando tenía tu edad participaba en torneos internacionales y gané muchos de ellos. Creo que sería un buen maestro —dijo intentando sonreír, aunque su mirada era fría, despojada de cualquier sentimiento.

—Tal vez en otra ocasión, hoy estoy muy cansado —se excusó Erik tratando de alejarse hacia la puerta principal.

—Está bien, como quieras. Pero, ya sabes, si quieres aprender, yo te puedo enseñar a jugar. Soy un buen maestro.

—No lo dudo —contestó con aplomo.

Con un rápido movimiento, el señor Adler se incorporó de la butaca en la que se encontraba sentado. El nieto de Berta notó cómo sus piernas comenzaban a temblar cuando atravesaba la puerta del salón y se aproximaba a la salida de la vivienda. A pesar del miedo que le comía por dentro, Vogler avanzó con decisión hasta situarse en la entrada de la casa. Escuchó los pasos de Adler que le seguían de cerca hasta la puerta principal.

Ambos se detuvieron. Los dos permanecían a escasa distancia. Su vecino lo observó con atención durante unos instantes que a Erik se le hicieron eternos. Después, tras acariciarse la barba que cubría parte de su rostro, metió la mano en el bolsillo de su pantalón y sacó un llavero. Lo sostuvo en el aire frente al rostro del joven. Aguantando los deseos que tenía de arrancárselo de la mano, el nieto de Berta esperó a que le tendiera las llaves de su piso. Sin embargo, el hombre se había apoyado contra la puerta y lo contemplaba en silencio. De fondo, seguía sonando el disco de *La muerte y la doncella*.

Capítulo XX

El rey blanco

El señor Adler había apoyado su hombro contra la puerta principal y jugueteaba con el llavero de Frank Vogler. El nieto de Berta estaba seguro de que el corazón le iba a estallar.

—¿Cuándo me dijiste que regresaba tu padre? —preguntó su vecino mirándole de arriba abajo.

—Vuelve mañana. ¿Me podría dar las llaves? Me tengo que ir ya —repitió esforzándose para que su voz no pareciera una súplica.

—Por supuesto.

Adler se apartó de la puerta y le tendió el llavero. Por un segundo, Erik pensó que, en el último momento, levantaría las llaves para que no las pudiera alcanzar, como si se tratase de un juego cruel. Pero no lo hizo. Al contrario, lo depositó con delicadeza en la palma de la mano de Erik y le sonrió con amabilidad.

El chico abrió la puerta y, sin dar la espalda a su vecino, atravesó el umbral retrocediendo varios pasos. Había logrado salir al pasillo. Apenas un par de metros lo separaban de su casa. Adler lo observaba en silencio. Al llegar a la puerta de su piso, Erik tomó una de las llaves y, ocultando el temblor de sus dedos, la acercó a la cerradura. En ese preciso instante, un diminuto papel resbaló desde el abrigo de Erik y cayó al suelo. Su vecino se apresuró para recogerlo.

—¡Espera, se te ha caído algo! —le advirtió al mismo tiempo que se agachaba hacia el suelo.

El joven se giró asustado. La llave había entrado, al fin, en la cerradura. En pocos segundos, Vogler se escabulló detrás de la puerta. Adler solo tuvo tiempo de escuchar el terrible portazo en sus narices.

—¡Erik, Erik…, se te ha caído un papel que llevabas en el abrigo! —le advirtió pegando sus gruesos labios en la puerta del joven.

No escuchó ningún ruido al otro lado. El chico estaba petrificado, apoyado contra una de las paredes del vestíbulo de su casa. Había reconocido el papel nada más caer al suelo. Solo podía rezar para que él no lo abriera. Contuvo la respiración.

Sin embargo, tras unos segundos de indecisión, el señor Adler desdobló el papel que sostenía entre sus dedos. Ante sus ojos aparecieron los tres versos perdidos del libro de Goethe:

«*Cuando al final (ahora nada puede salvarlo)*
En un diente de hierro fue capturado,
Cuando el luctuoso brillo de la luna se apagaba…».

Entretanto, Vogler había reunido el valor suficiente para introducir las llaves en la cerradura, cerrar la puerta blindada desde el interior y acercarse a la mirilla. Desde ese lugar, podía espiar a su vecino.

Lo que descubrió a través de aquel pequeño círculo de cristal le dejó aún más aterrorizado. El señor Adler leía en silencio los versos que le había entregado el fantasma de

Sandra Nadel. Sus ojos azules iban recorriendo muy despacio cada palabra hasta llegar al final del mensaje, y clavó la mirada en la puerta de Erik.

El joven se estremeció, sus piernas no le sostenían. Lentamente, se apartó de la puerta caminando hacia atrás. Primero un paso, después otro y un tercero hasta que chocó con su maleta Chantel. El señor Adler escuchó el ruido y dobló con cuidado el papel con los versos de Goethe. Después, se acercó aún más y golpeó con fuerza la puerta de los Vogler.

—¿De dónde has sacado este papel? ¿Lo has arrancado de uno de mis libros, verdad? —preguntó esforzándose por contener su cólera—. Erik, sé que estás ahí… ¡Abre la puerta de una maldita vez! —gritó.

Vogler apenas lograba respirar. La voz de su vecino traspasaba la madera y parecía atenazarle el pecho. Adler se había inclinado de nuevo sobre la puerta. En pocos segundos, su rostro se había transformado, le ardía la piel de la cara, los ojos estaban inyectados en sangre y una vena hinchada atravesaba su cuello.

—De acuerdo, está bien. No pasa nada. ¿Así que no me vas a abrir la puerta…? —concluyó apoyando sus manos en ella—. ¿Te gusta jugar, eh? Pues vamos a jugar… Yo seré el rey blanco.

Al escuchar su amenaza, Erik entendió por qué el fantasma de Sandra Nadel había colocado esa pieza de ajedrez en su cama y no otra. El señor Adler era el rey blanco. Seguramente, la sangre de la figura se correspondería con la de la joven apuñalada.

El joven se separó aún más de la puerta principal y atravesó a la carrera el pasillo de su casa. Se refugió en su dormitorio y, aunque le temblaban hasta las pestañas, consiguió encontrar su móvil en uno de los bolsillos del abrigo. Buscó en su agenda el número del teléfono fijo de su abuela. Pulsó una tecla para marcarlo y tomó aire. Sonó un primer pitido. «¡Por Dios, que esté en casa!… ¡Vamos, vamos, contesta, abuela!», se repetía. Escuchó un segundo timbre y un tercero. Pasaron unos segundos interminables. El teléfono siguió sonando en la casa de Grasberg. Pero no había nadie allí para descolgarlo.

Erik lanzó un suspiro y lamentó que Berta hubiera renunciado a tener un móvil. «¡Ese trasto no vale para nada. Tonterías tecnológicas!», recordó que solía decir su abuela cada vez que le ofrecían uno de regalo. Pensó entonces en llamar a su padre. Pero ¿qué iba a decirle? Frank estaba en Nueva York, a miles de kilómetros. Era imposible que pudiera ayudarle desde allí. Y, además, ¿qué le contaría?… ¿Que se le había aparecido el fantasma de una joven apuñalada? ¿Que había huido de Grasberg sin avisar a su abuela? ¿Que había regresado a Bremen sin pedir permiso a nadie? ¿Que su amable vecino, el señor Adler, era un asesino en serie?

Por su parte, el rey blanco había regresado a su piso. Se dirigió directamente al estudio. Localizó el libro de Sandra Nadel y buscó la página que estaba rasgada. Comprobó que el trozo de papel que se le había caído a Erik Vogler coincidía con los versos de Goethe que faltaban. «¿Qué sabía aquel chico?», se preguntaba intrigado. «¿Por qué había huido de aquella manera?» Al ver cómo había reaccionado, estaba seguro de que Erik lo había descubierto, aunque no podía entender de qué manera lo había averiguado. No podía arriesgarse a que hablara con alguien, a que revelara sus sospechas. Si lo hiciera, estaría perdido. «¡Tengo que acabar con él lo antes posible!», se dijo fijando su mirada en el tablero de ajedrez que descansaba en una repisa bajo la ventana.

A continuación, Adler se acercó al equipo de música y levantó la aguja del tocadiscos. Al instante, la melodía cesó y dio paso al ruido de las gotas de lluvia que chocaban contra los cristales. Con mucho cuidado, el vecino de Erik tomó el disco de Schubert y lo guardó en su funda. Apagó el tocadiscos y se aproximó, con gesto serio, a un escritorio que había en la esquina de la habitación. Se inclinó sobre el mueble para abrir uno de los cajones. En su interior había diferentes recortes de la prensa alemana sobre las noticias de las desapariciones y las muertes de los tres jóvenes de Bremen.

Levantó los fragmentos de los periódicos y buscó debajo de ellos hasta que encontró un frasco de plástico con cloroformo y un pañuelo. Después, giró la llave del escritorio y bajó la tabla de madera que le servía de mesa. En el hueco frontal guardaba varias plumas estilográficas, unos guantes de piel, dos tinteros, un pequeño calendario del año anterior, un reloj de bolsillo, sobres y papel de cartas. Eligió los guantes y los acarició suavemente.

Se acordó entonces de la joven Sandra Nadel, sentada junto a la ventana de su estudio, paralizada y aturdida por el miedo, contemplando el tablero de ajedrez que había colocado frente a ella la noche de su desaparición. «Aunque no movió demasiado bien sus piezas, fue la que mejor jugó de los tres», pensó rememorando los últimos instantes de la macabra partida. Con lentitud, se aproximó al tablero de ajedrez, tomó entre sus dedos la figura del rey blanco y sonrió.

Adler había disfrutado derrotándolos uno a uno. Sin duda, Leo Klein había sido su rival más débil. Conrad Braun lo había intentado hasta el final. «Fue una partida muy emocionante», se repitió al recordar al amigo de Sandra Nadel. De pronto, el ruido de un trueno sacó al asesino de sus oscuros pensamientos y le devolvió a la realidad. Su mente se centró en el joven Vogler. «¿Qué voy a hacer contigo, Erik? Ni siquiera sabes jugar al ajedrez», se lamentó moviendo de un lado a otro la cabeza mientras se colocaba los guantes. Después, guardó en uno de los bolsillos de su pantalón el bote con cloroformo y el pañuelo. Por último, salió del estudio sin mirar atrás.

Erik se había acurrucado en la esquina de su cuarto, donde se sentía más seguro. Sostenía el teléfono móvil entre sus manos sudorosas. Pero no sabía qué hacer. Había descartado llamar a su padre. Era inútil. En su lugar, había vuelto a telefonear varias veces a su abuela. Aunque todos sus intentos resultaron en vano. No había nadie en la casa de Grasberg. Se arrepintió de haber escapado del pueblo, de haber regresado a Bremen por su cuenta, de no haber esperado la llegada de su padre. «Ojalá me hubiese quedado con mi abuela», se repetía con desesperación.

Un trueno resonó no muy lejos de allí. El nieto de Berta contempló la ventana de su habitación. Recordó entonces las palabras de Adler, su voz de hierro atravesando la puerta de su casa: «¿Te gusta jugar, eh? Pues vamos a jugar… Yo seré el rey blanco».

Erik sabía que tenía que reaccionar antes de que fuera demasiado tarde, así que, a pesar del miedo, decidió marcar el número de la policía. Pero justo en ese momento, le sobresaltó un ruido de cristales rotos que provenía de la terraza del salón.

Capítulo XXI

El enfado de Berta Vogler

Albert Zimmer había corrido hacia la parada del autobús que se dirigía a Bremen detrás del nieto de Berta. A pesar de intentarlo, no logró llegar a tiempo para alcanzarlo. El conductor tampoco había hecho nada por esperarlo; más bien al contrario: parecía feliz habiéndole dejado tirado. Así que, después de soltar una patada en señal de protesta, no le quedó más remedio que resignarse y ver cómo el autobús salía de Grasberg en dirección a la ciudad.

Pensó en ese momento en Erik Vogler, en que era un tipo bastante extraño y también se imaginó la cara de alelado que pondría cuando llegase a Bremen y se diera cuenta de que había perdido las llaves de su casa.

Albert se alejó de la parada de autobuses con aire pensativo. Contemplaba la palma de su mano en la que sostenía el llavero. Recordó la alocada carrera del joven aferrado a su maleta. Y cómo, en un momento dado, las llaves habían salido disparadas volando por los aires para aterrizar en uno de los senderos de tierra del parque. Aunque trató de avisarle, en varias ocasiones, agitando los brazos, Erik no le había hecho ni caso. «¡Menudo friki!», pensó mientras cruzaba la calle y guardaba el llavero en el bolsillo de su pantalón.

Berta estaba terminando de arreglar la cocina cuando escuchó que alguien llamaba a la puerta principal. Al abrirla, se encontró con la visita que esperaba esa tarde.

—¡Hola, Albert! —exclamó con una sonrisa—. Llegas a tiempo para vuestra partida. Pasa, por favor, no te quedes ahí parado. Voy a llamar a mi nieto para que baje, seguro que se habrá encerrado en su habitación como de costumbre.

—Precisamente, quería hablarle de Erik —le interrumpió el joven tomándola del brazo para detenerla.

—Lo sé, Albert, lo sé. Es un poco... ¡Vaya, no soy capaz de encontrar la palabra apropiada! —reconoció con resignación—. Pero no es mal chico.

—No se trata de eso —le aclaró—. Venía a avisarla de que acabo de ver a su nieto tomando el autobús para Bremen. Intenté hablar con él pero, al verme, salió corriendo y no pude alcanzarlo. Se comportó de un modo muy extraño. Además, perdió las llaves en el parque —añadió Albert mostrando el llavero.

—¡Qué me estás diciendo! —exclamó Berta llevándose las manos a la cara y haciendo un esfuerzo por asimilar lo que le estaba contando su nuevo vecino—. Así que... —reflexionó mirando hacia las escaleras—, ¿Erik no está en su habitación?

Albert negó con un lento movimiento de cabeza mientras le entregaba el llavero perdido.

—Me temo que no, señora Vogler. Llámelo si quiere, aunque estoy seguro de que no le va a contestar. Ahora mismo va camino de Bremen —le explicó—. No tardará mucho en llegar a la ciudad y ni siquiera se ha dado cuenta de que se ha quedado sin llaves.

—¡No me lo puedo creer!... Ya le dije a su padre que no era buena idea que Erik viniera a Grasberg, pero Frank me insistió tanto… —se quejó en voz alta—. ¡Ayer le advertí que no se le ocurriera salir de casa sin mi permiso! ¿Y me ha hecho caso? ¡Qué va! El señorito se sube a un autobús y se marcha de vuelta a Bremen sin avisarme… ¡Se va a enterar cuando lo encuentre! ¡Vaya que si se va a enterar! ¡Esto no va a quedar así! Si se piensa que se va a ir de rositas esta vez, está muy, pero que muy equivocado. ¡Aquí…, aquí va a arder Troya! —chilló mientras buscaba su abrigo colgado del perchero y se enrollaba una bufanda al cuello de forma precipitada.

Berta sentía que le ardían las mejillas de rabia. Mirando a Albert, le propuso:

—Voy a por la furgoneta, ¿me acompañas?

—Eh…, vale.

—¿Quieres usar mi teléfono para avisar a tus padres? —le preguntó antes de colgarse al hombro un bolso enorme.

—No, no hace falta. Como tengo el móvil, les puedo llamar de camino a Bremen.

—Está bien. Nos llevaremos un paraguas. Ahí encontrarás uno —le pidió señalando el paragüero que había junto a la puerta de entrada—. Cuanto antes nos marchemos, mejor.

Juntos se dirigieron al garaje donde Berta Vogler tenía aparcada una vieja furgoneta que parecía a punto de descomponerse.

En el suelo de aquel vehículo se podían recolectar champiñones, frutos silvestres y toda clase de hortalizas. A lo largo de los años, había acumulado un sustrato de tierra, semillas, hierbas y piedras de diferentes tamaños. Por ese motivo, la abuela de Erik solía calzar botas de montaña cada vez que tenía que conducir aquel trasto.

Antes de subirse al asiento del copiloto, Albert Zimmer apartó la pegajosa telaraña que se había formado en el retrovisor derecho. Luego tiró de la manilla de la portezuela oxidada y entró en la furgoneta. Su asiento estaba poblado de papelorios, facturas de los bancos, pañuelos usados, botellas de plástico vacías, cintas de música de otra época y una infinidad de objetos inútiles.

—Perdone, es que...

No sabía cómo acomodarse sobre aquella montaña de trastos.

—¡Tíralo todo por ahí y siéntate de una vez! —le animó Berta señalando la parte trasera de la furgoneta mientras apretaba el acelerador.

—¡Ya voy, ya voy! —replicó el joven abriéndose paso entre aquella selva de cachivaches.

—¡Venga, date prisa!

Siguiendo las instrucciones de la abuela de Erik, Albert despejó su asiento de trastos. Los lanzó por los aires y contempló cómo aterrizaban en diferentes lugares del interior de la furgoneta. Por último, se abrochó el cinturón de seguridad.

El tubo de escape había empezado a emitir una serie interminable de pedorretas. Y con aquel sonido de fondo, emprendieron juntos el trayecto hacia Bremen.

Una intensa lluvia caía sobre la luna delantera de la furgoneta y un único limpiaparabrisas se afanaba en limpiar el cristal del vehículo. Durante algunos minutos, Albert Zimmer no cesó de preguntarse cómo aquella mujer era capaz de distinguir la carretera a través de semejante cortina de agua. Ajena a los pensamientos del joven, la abuela de Erik llevaba la cabeza casi sobre el volante; apenas pestañeaba. Y, aunque ponía cara de velocidad, lo cierto era que su furgoneta no pasaba de los cuarenta kilómetros por hora.

Mientras Berta se obstinaba en apretar el acelerador de su destartalada furgoneta y Albert cruzaba los dedos para que la conductora no se saliera de la carretera, su nieto viajaba, escuchando la música de su móvil, en un autobús con destino a Bremen.

Por eso, cuando una hora después aproximadamente, Erik llamaba desesperado con su móvil a casa de su abuela, allí no había nadie que le pudiera ayudar en la situación realmente angustiosa en la que se encontraba.

Capítulo XXII

En la oscuridad

Erik Vogler escuchó un estallido de cristales que provenía de la terraza del salón y supo que su vida estaba en peligro.

Por un instante, sintió que su corazón se había detenido esta vez definitivamente y creyó que nunca más volvería a latir. El asesino de Bremen acababa de entrar en su casa y él iba a ser su próxima víctima.

«¡Piensa en algo, piensa, Erik!», se dijo de repente.

El señor Adler había encontrado la forma de entrar en el piso de los Vogler saltando desde el balcón de su dormitorio al comedor de sus vecinos. Con sus guantes de piel, el rey blanco apartó con cuidado algunos trozos de cristal para poder abrir la puerta de la terraza. Por último, introdujo su mano derecha a través del agujero y bajó el pestillo de seguridad.

«¿Qué puedo hacer?… Vamos, Erik, vamos… ¡Imposible llegar hasta la puerta principal sin encontrarme con él!», se decía agazapado en su escondite. Se acordó de que había dejado las llaves puestas en la cerradura de la entrada. «¿Por qué lo habré hecho?», se quejó en silencio. En esas circunstancias era muy arriesgado correr hacia aquella puerta. Una verdadera locura. El señor Adler lo estaría esperando allí precisamente, con sus manos de hierro listas para aferrarlo, dispuesto a acabar con él en un suspiro. Entonces, si no podía dirigirse a la única salida, ¿cómo escaparía de su propia casa?

El joven abrió uno de los cajones del armario de su habitación. De su interior sacó una pequeña caja de herramientas. Buscó un destornillador y los alicates que guardaba en ella. Enganchó el destornillador en el cinturón de sus pantalones Passion y se acercó al cable de la lámpara de la mesilla de su dormitorio.

Mientras tanto, los zapatos de Adler aplastaban algunos de los cristales que se habían esparcido por el suelo del salón.

—Empieza la partida —murmuró el rey blanco sacando el bote de cloroformo y el pañuelo de su bolsillo.

Sin más vacilaciones, Vogler apretó los alicates con fuerza y cortó el cable de la lámpara de la mesilla para provocar un cortocircuito. Rezó para que su plan funcionara.

En efecto, saltaron los plomos. Y al instante, la casa se sumió en la oscuridad.

¿Qué había ocurrido? El señor Adler se quedó paralizado al escuchar aquel sonido inesperado. A tientas, encontró el interruptor de la luz que había en la pared junto a la terraza. Lo accionó varias veces sin ningún resultado.

—¡Maldita sea! —susurró frunciendo el ceño.

Erik se había agachado detrás de la cama de su dormitorio. El móvil temblaba entre sus dedos. Marcó el número de la policía. Un pitido, dos, tres… Su respiración cada vez resultaba más agitada. Sus pulmones retumbaban en su pecho y parecían escucharse en el interior del cuarto. De pronto, cuando ya se sentía desesperado, una voz femenina descolgó el teléfono y sonó al otro lado.

—Está usted hablando con la policía de Bremen.

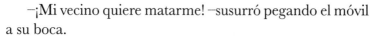

–¡Mi vecino quiere matarme! –susurró pegando el móvil a su boca.

–¡Cálmate, chico! –le aconsejó la agente–. ¿Desde dónde nos llamas?…

–¡Ha entrado por la terraza del salón! –prosiguió él, histérico–. Él asesinó a Sandra Nadel y a los otros chicos.

–¿A quiénes?

–A Conrad, a Conrad Braun y a Leo Klein. ¡Estoy muy asustado, no sé qué hacer! ¡Tienen que ayudarme!

–Dame tu dirección –insistió la mujer.

Un relámpago iluminó la casa de Erik Vogler. El rey blanco aprovechó aquel instante para avanzar más rápido a través del salón. Acto seguido, de forma silenciosa, como un enorme felino, se dirigió hacia la entrada de la vivienda. La oscuridad volvía a rodearlo. A ciegas, se aproximó a la puerta principal. Con lentitud fue rozándola hasta que sus dedos se toparon con las llaves que el nieto de Berta había dejado en la cerradura.

–*Voilà!* –exclamó guardándose el llavero en su bolsillo– ¿Y ahora cómo vas a escapar, Erik? –musitó con una sonrisa.

A continuación, el señor Adler buscó el cuadro de luces de la casa en la pared contigua a la puerta principal. Fue subiendo uno a uno los interruptores del panel, pero no consiguió que la luz regresara a la vivienda. Se mordió el labio inferior con rabia. La única manera de solucionarlo pasaba por bajar al sótano del edificio. Una vez allí, debería entrar en el cuarto de contadores y accionar el diferencial del piso de los Vogler. Pero el rey blanco no tenía tiempo. Necesitaba atrapar a su presa y aquella situación inesperada aumentaba su cólera. La tormenta, que provenía del norte, también iba creciendo sobre Bremen.

Con aquella lluvia torrencial, Berta apenas distinguía la carretera y mucho menos los carteles que indicaban las diferentes entradas a la ciudad. Por eso, a Albert Zimmer no le extrañó que, en un momento dado, la abuela de Erik reconociera lo inevitable:

—¡Nos hemos perdido! ¡Se me ha pasado la entrada a Bremen! Hace tanto tiempo que no vengo a la ciudad...

—No se preocupe, puede intentarlo en la próxima salida. No falta mucho, yo le avisaré con antelación cuando nos vayamos acercando —le aconsejó Albert para tranquilizarla.

—¡Es que no veo nada! —protestó alzando la voz.

En medio del aguacero, los faros de la furgoneta iluminaban débilmente el carril por el que circulaban. El resto de los vehículos la adelantaba sin problemas, levantando cortinas de agua que salpicaban contra sus cristales y dificultaban aún más la conducción.

—¿Quiere que llame a Erik desde mi móvil? —le propuso Albert sacando su teléfono del bolsillo.

—No me sé su número de memoria y ni siquiera recuerdo dónde tengo apuntado el de su padre... —se lamentó Berta inclinándose más hacia adelante.

De repente, Albert Zimmer distinguió, entre la lluvia, el panel informativo que estaba esperando.

—¡Ahí está!... ¡A la derecha, tuerza, tuerza!... ¡Tome esta salida! ¡Vamos, a la derecha! —suplicó haciendo gestos con sus brazos al ver que la anciana no reaccionaba ante sus indicaciones.

—¿Por aquí? —preguntó insegura haciendo un amago con la furgoneta.

—¡Sí, sí..., que nos la pasamos!

La abuela de Erik giró el volante en el último momento. Una camioneta que iba detrás soltó un sonoro bocinazo. De milagro, habían logrado tomar la última salida para dirigirse al centro de la ciudad. Albert suspiró aliviado y aprovechó para llamar a sus padres.

Capítulo XXIII

Cada vez más cerca

Sumido en la oscuridad, el señor Adler atravesaba el pasillo de casa de Erik sin hacer ruido. Su mano izquierda se deslizaba por la pared para orientarse mejor. El corredor se iluminó en un par de ocasiones a causa de los intensos relámpagos de la tormenta. Aunque la lluvia proseguía en la calle, la casa continuaba en un tenso silencio. El asesino de Bremen avanzaba muy despacio, alerta, intentando escuchar cualquier mínimo ruido que delatara el lugar donde se escondía su próxima víctima.

«No puedes estar muy lejos», pensaba mientras se detenía en la primera puerta del pasillo. Enseguida, con la mayor suavidad posible, giró el pomo del dormitorio de Frank Vogler y lo fue revisando palmo a palmo. Apenas había entrado en la habitación cuando comprobó que el joven no se ocultaba detrás de la puerta. Así que abrió con lentitud el armario ropero. Sus manos se deslizaron entre las prendas y los estantes. Pero no hubo suerte. Adler también se agachó para inspeccionar debajo de la cama de matrimonio. Después de unos minutos, descartó que el chico estuviera allí. «¿Dónde diablos te has metido, Erik?», se preguntó.

Regresó al pasillo. Un trueno estalló en aquel momento y retumbó por toda la casa. El rey blanco no se inmutó.

Deslizando sus gruesos dedos por la pared, avanzó un poco más. A través de las puertas abiertas de las distintas habitaciones de la casa, lograba distinguir algunas siluetas, sombras... Y, aunque los plomos hubieran saltado, las luces de la calle permitían una penumbra a la que sus ojos se estaban acostumbrando. En su mano derecha seguía apretando el frasco de cloroformo y el pañuelo que había utilizado con sus anteriores víctimas.

Sin embargo, al llegar a la altura de la puerta de uno de los cuartos de baño, sintió que uno de sus pies resbalaba de forma inevitable. Intentó mantener el equilibrio y sujetarse al marco de la puerta. Todo fue inútil. El zapato del asesino se deslizó hacia adelante y sus piernas corpulentas se elevaron del suelo. Cayó hacia atrás de manera aparatosa produciendo un golpe sordo contra la madera. Soltó el frasco de cloroformo, que rodó y se alejó de su mano abierta. El pañuelo quedó tendido junto a su cuerpo.

Durante unos segundos, notó un dolor agudo en la espalda. Era comprensible que le costase respirar y moverse porque había caído a plomo. De improviso, mientras permanecía tendido en el pasillo, le llegó un aroma a mandarinas que no supo identificar. Se quitó los guantes para tocar el suelo con las yemas de los dedos de su mano izquierda y los acercó a su nariz. Un líquido espeso los cubría. Se trataba del gel de baño de Vogler.

«¡Esto te va a costar muy caro! ¡Vas a desear no haberlo hecho!», se prometió el rey blanco enfurecido. Aquel niñato estaba agotando, sin duda, su escasa paciencia. Así que tendría una muerte dolorosa. Aunque le suplicara, como los otros jóvenes, no habría ninguna compasión. Al contrario, sufriría antes de morir por haber opuesto resistencia, por pensar que podría derrotarlo, y él se encargaría de que nadie escuchase sus gritos.

El señor Adler se incorporó con dificultad del suelo. De rodillas, tras varios intentos, logró encontrar el frasco de cloroformo y lo guardó en el bolsillo de su pantalón junto al pañuelo. Lo más despacio posible se puso en pie y entró en el cuarto de baño. Casi a ciegas, encontró un par de toallas detrás de la puerta. Utilizó una para limpiarse el gel que manchaba sus manos, los guantes de piel, la suela de sus zapatos y que, además, resbalaba por las mangas y la parte posterior de su chaqueta. Después, lanzó la toalla de mayor tamaño al pasillo para limpiar los restos de jabón líquido que quedaban en el suelo.

El asesino de Bremen se internó de nuevo en el corredor. Sus pisadas se habían vuelto más cautas. Desconfiaba de Erik y de aquel silencio que reinaba en la casa. Abrió la puerta de un segundo cuarto de aseo. Pero no había ni rastro del nieto de Berta en su interior. «Solo queda una habitación», se dijo el rey blanco llevándose la mano al bolsillo donde había guardado el cloroformo y el pañuelo.

El dormitorio del joven estaba cerrado, así que el señor Adler tuvo que girar el pomo y empujar con suavidad la puerta para que se entreabriera. Luego, esperó unos segundos antes de internarse en la habitación del joven.

—Sé que te escondes aquí… No tienes escapatoria, Erik.

No se escuchaba más que el ruido de la tormenta.

—Estás a punto de perder la partida. ¡El rey blanco te ha acorralado! ¿Por qué no te rindes? De esta manera, todo será más fácil…

La habitación permanecía en un absoluto silencio que solo rompían las gotas de lluvia y los truenos. De pronto, el asesino de Bremen reparó en una de las cortinas del dormitorio. Parecía hincharse y desinflarse con el aire de la calle. En efecto, una de las puertas del balcón de la habitación estaba abierta. Mirando a ambos lados de la estancia, el rey blanco se dirigió hacia los ventanales. «¿Se habrá atrevido a saltar o a pasar a otra terraza?», se preguntaba intranquilo mientras apretaba el frasco de cloroformo entre sus dedos.

El hombre se acercó a los cristales del balcón, se detuvo, dudó un momento. «¿Dónde te has metido, niñato?», se repetía intentando controlar sus nervios, que iban en aumento. Abrió más la puerta y decidió asomarse a la terraza. Nada más poner los pies en el balcón, Erik Vogler, que se había escabullido entre la pared y el armario del dormitorio, corrió hacia la puerta del balcón. Armándose de coraje, la cerró de golpe y bajó el pestillo de seguridad. Casi al mismo tiempo, Adler giró sobre sus talones y descubrió al nieto de Berta que lo observaba espantado al otro lado del cristal.

Por un instante, un relámpago iluminó el rostro del criminal sobre el que caían las gotas de la tormenta. Los ojos azules del rey blanco se clavaron en el rostro aterrorizado del nieto de Berta, que lo contemplaba a escasos centímetros. Erik sabía que tenía que aprovechar aquella oportunidad para salir huyendo.

A pesar de que, durante unos segundos, la presencia del asesino le había dejado petrificado por el miedo, pudo reaccionar y echó a correr por el pasillo en dirección al salón de su casa. Atravesó la sala como una exhalación. En su camino, chocó con una silla, que cayó sobre una alfombra. Después pisoteó los cristales que se habían diseminado junto a la puerta de la terraza.

Con los latidos de su corazón al límite, salió al balcón de su piso y se asomó a la calle. «Imposible, demasiada altura», se dijo mientras el agua caía sobre su cabeza y aplastaba sus cabellos. En ese caso, no le quedaba otra opción que saltar a la terraza del señor Adler. Y no tenía mucho tiempo. Seguramente su vecino habría roto de un puñetazo los ventanales de su habitación y vendría en su busca. Así que se agarró a la barandilla. Tomó aire. Por culpa de la lluvia, la barra de acero estaba muy resbaladiza.

Pensó entonces en su padre y en su abuela, en que no se había despedido de ellos, en que la policía tardaría demasiado en llegar a su casa, en que no quería morir asesinado por un loco… Y, mientras le asaltaban aquellos pensamientos, pasó una pierna por encima de la barandilla. Al hacer ese movimiento, una de sus manos se escurrió y, por un momento, creyó que perdería el equilibrio. Logró agarrarse de nuevo a la barra con ambas manos. En ese instante, escuchó un ruido en el salón y otra vez se quedó paralizado por el miedo.

El rey blanco acababa de tropezar con la silla que Erik había tirado sobre la alfombra.

Vogler tragó saliva y levantó la otra pierna por encima de la barra. De repente, sintió la mano del señor Adler en su brazo. Lo había agarrado por el jersey y tiraba de su cuerpo hacia adelante, acercándole al borde de la barandilla. Intentó zafarse de los dedos de hierro que lo sujetaban. Con todas sus fuerzas, lanzó su cuerpo hacia atrás. La mano del señor Adler se escurrió por la manga del jersey de Erik y se aferró, con las yemas de los dedos, al puño de la manga. Al ver que el rey blanco no tenía intenciones de soltar su jersey, se deslizó por debajo del cuello de la prenda para liberarse de ella, de tal forma que Adler se quedó con el jersey en sus manos pero sin su presa.

Con su camisa de seda, Erik corrió hacia la puerta de la terraza de su vecino, que permanecía abierta, tal y como la había dejado el señor Adler cuando trazaba su plan. Mientras el rey blanco se disponía a saltar la barandilla del balcón, el joven cerraba los ventanales con la intención de ganar tiempo.

Debía llegar a la puerta de la casa si quería salir de allí con vida. Si lograba escapar del edificio, tendría la oportunidad de huir de aquella pesadilla.

Simultáneamente, en el dormitorio de Erik su teléfono móvil acababa de recibir un mensaje. Era de su padre. *«¿Qué tal va todo por Grasberg? Mañana tomo el avión para Bremen. Nos vemos el domingo. Pórtate bien con la abuela. Un beso».*

Capítulo XXIV

El último cerrojo

Hacía varios años que Berta no conducía hasta Bremen. Prefería tomar un autobús desde Grasberg y que su hijo Frank la recogiera en su propio coche, en lugar de adentrarse por las calles del centro con su furgoneta. La tormenta y la noche no la ayudaban a orientarse y, a pesar de los esfuerzos de Albert Zimmer, no lograban dar con la calle donde vivía Erik. Para colmo, se metieron en una vía donde se acababa de producir un pequeño accidente entre un vehículo y un motorista que había detenido el tráfico.

—¡Encima un atasco! ¡Lo que nos faltaba! —protestó Berta aprovechando la pausa para quitar el vaho de los cristales con un viejo paño de tela—. ¿Estaremos muy lejos, Albert?

—No creo. De todas formas, voy a activar el GPS de mi móvil. Así le podré indicar la dirección exacta.

—Tú sabrás… Yo confío totalmente en ti, porque ahora mismo estoy perdida. Es por la falta de costumbre y porque tampoco me fijo mucho. Como siempre me trae mi hijo por el centro o tomo algún autobús…, no presto atención a las calles ni me oriento.

—En el siguiente semáforo —señaló Albert observando con atención la pantalla de su móvil—, tendremos que torcer a la derecha. Así saldremos del atasco y llegaremos antes.

—De acuerdo.

Y mirando cómo la lluvia se deslizaba por la luna delantera del vehículo, se preguntó en voz alta:

—¿Qué estará haciendo Erik? Seguro que esperará sentado en el portal o en el rellano de la escalera con cara de alelado. Espero que, al menos, no pille un catarro. A lo mejor me ha llamado por teléfono, tal vez haya hablado con su padre...

—Quizá haya ido a casa de algún amigo —terció Albert.

—¿Amigo? —repitió—. Mi nieto no es muy sociable que digamos, ya lo has visto. Tiene compañeros en el instituto pero amigos, lo que se dice amigos, no le he conocido ninguno.

—¡Vaya, me he quedado sin cobertura aquí! —protestó.

—¡Bah!... ¿Ves? Esos chismes, al final, no sirven para nada. Te dejan tirado en el momento más inoportuno —concluyó refiriéndose a los teléfonos móviles a los que tenía especial inquina.

Mientras Berta y Albert intentaban salir de aquel atasco, Erik corría desesperado hacia la puerta de la casa del señor Adler. Su vecino había destrozado de un puñetazo parte del cristal de la terraza y trataba de quitar el pestillo pulsándolo varias veces con rabia. Cuando el nieto de Berta consiguió llegar a la entrada, encendió la lámpara del techo y se llevó una desagradable sorpresa. Como medida de seguridad, dos antiguos cerrojos y una cadena atravesaban la puerta principal.

Haciendo un esfuerzo para controlar su angustia, Vogler descorrió el primer cerrojo, que estaba situado a mayor altura. Su mirada se centró enseguida en la cadena. Los dedos del joven temblaron hasta que consiguió que sus eslabones se deslizaran hacia la derecha. En ese lapso de tiempo, el señor Adler había atravesado el salón. Sus pasos resonaban con fuerza, cada vez más cerca, cada vez más cerca…

«El último cerrojo. ¡Vamos!», se animó agarrándolo por un extremo. Justo cuando iba a tirar del mango de metal, la gigantesca mano del hombre se apoyó sobre la puerta impidiendo que la abriera.

—¿Adónde te crees que vas? ¡Estás atrapado! –le chilló su vecino pegando su cuerpo sobre la espalda de su víctima.

Los labios del asesino dibujaron una sonrisa triunfal. En sus dedos sostenía el pañuelo empapado en cloroformo.

—¡Ya no hay salida, Erik! ¡Ahora nadie puede ayudarte, estás solo! Has perdido. ¡Jaque mate! –sentenció el señor Adler levantando el brazo para inmovilizar a su presa.

Con la respiración entrecortada, el de la gomina tanteó su cinturón y, sin mediar una palabra, asió el destornillador que había enganchado en él. Apretó el mango de la herramienta entre sus dedos sudorosos. «¡Venga, no hay tiempo, Erik! ¡Si no lo haces, vas a morir!», se dijo para infundirse valor. Después giró sobre sí mismo y clavó con todas sus fuerzas la punta de hierro en la pierna del señor Adler hasta hundirla en su carne.

Sorprendido por la inesperada reacción del joven, el asesino lanzó un aullido de dolor y acercó una de sus manos a la empuñadura de la herramienta. Alejándose un poco de su víctima, con un rápido movimiento, el señor Adler se sacó del muslo el destornillador cubierto de sangre. Erik Vogler contemplaba con espanto la escena que había provocado.

El asesino ahogó un grito y apretó la mandíbula. Dejó caer la herramienta al suelo y se llevó la palma de la mano hacia la herida abierta para contener la hemorragia. La abundante sangre resbalaba por su pantalón. El chico aprovechó el momento para enfrentarse de nuevo al último cerrojo que obstaculizaba su huida.

A pesar de su pánico, logró descorrer la barra de metal de la puerta en el mismo instante en que Adler se le acercaba por la espalda y apretaba con fuerza el pañuelo sobre la nariz del joven. Su víctima se revolvió y luchó por apartarlo de su cara. Sin embargo, el cloroformo no tardó en actuar.

Unos segundos más tarde, las piernas de Vogler se aflojaron y terminó cayendo al suelo.

El rey blanco arrastró el cuerpo de Erik hacia el interior de la casa. Entró en uno de los baños y abrió el botiquín. El hombre se llevó la mano a la pierna herida y dejó escapar un gesto de dolor. Rasgó el pantalón alrededor de la incisión y colocó varias gasas para contener la hemorragia. Por último, tomó vendas y esparadrapo y con ellos logró cerrar el boquete que el destornillador había abierto en su carne.

Capítulo XXV

Buscando a Erik

Berta Vogler esperaba encontrar a su nieto en el rellano de la escalera de su edificio. Por eso se sorprendió al no verlo allí, sentado junto a su maleta con un gesto de pena, como un perrillo abandonado. ¿Dónde estaba entonces?

Albert subía los peldaños de la escalera detrás de ella. Habían conseguido salir del atasco y, con ayuda del GPS del joven, no les costó localizar la calle donde vivía Erik. Los dos habían llegado a la primera planta y habían pasado por delante de la puerta del señor Adler sin sospechar lo que ocurría al otro lado.

—¡Es aquí! —exclamó Berta señalando la casa de su hijo Frank.

Cuando la abuela se disponía a introducir la llave en la cerradura de la puerta de entrada, ambos escucharon el inicio de una composición musical que provenía de la vivienda del vecino. Berta la reconoció al instante. Era la pieza de Schubert que guardaba en Grasberg, *La muerte y la doncella*. Durante unos segundos, se quedó muy quieta; las notas seguían sonando en la puerta contigua. Pensó en que era una inquietante casualidad que la volviera a oír de nuevo en dos lugares diferentes y en tan poco tiempo.

—¿La ayudo a abrir? —se ofreció Zimmer al darse cuenta de que la abuela se había quedado obnubilada.

—¿Eh? No, no…, no hace falta, gracias, Albert. Ahora mismo abro… ¿Lo ves? ¡Ya está!

Lo primero que los alertó de que algo no iba bien fue la oscuridad de la casa cuando pulsaron el interruptor de la entrada y comprobaron que no había luz. Después, la abuela de Erik chocó contra algo inesperado que alguien había olvidado en el vestíbulo.

—¡Esta es la maleta de mi nieto! —anunció tras golpearse la rodilla y tantear la parte superior de la inconfundible Chantel.

Y, luego, bajando el volumen de su voz y dirigiéndose al joven, hizo la siguiente reflexión:

—Erik nunca abandonaría su maleta en la entrada de la casa, no es propio de él. Tengo la certeza de que está pasando algo muy raro. Demasiado silencio…

—Yo también pienso lo mismo, la oscuridad y este silencio resultan muy extraños.

—Ven, acércate —le pidió asiendo a Albert por el brazo—, ayúdame a dar la luz. Deben de haber saltado los plomos.

—Está bien, déjeme que pruebe yo —dijo al oír el ruido de los interruptores del panel que movía con nerviosismo Berta Vogler.

Durante un rato, al igual que hiciera antes el señor Adler, intentaron, sin ningún resultado, accionar el cuadro de luces. Así que, al final, decidieron entrar a oscuras en el resto de la casa, empezando por el salón.

—¡Ten cuidado, Albert! Apenas veo nada… —susurró Berta colocándose detrás del joven mientras empujaban la puerta.

Lo que encontraron dentro de la sala los alarmó aún más: distinguieron, gracias a la claridad que provenía de las farolas de la calle, multitud de cristales desparramados encima de la alfombra, una silla que se había caído al suelo, la puerta de la terraza destrozada y abierta, y un silencio perturbador que lo rodeaba todo, un silencio que solo rompía el agua sobre las ventanas y los tejados.

–¿Qué ha pasado aquí? –preguntó Zimmer en voz baja leyendo los pensamientos de la abuela de Erik.

¿Qué estaba sucediendo en la casa de los Vogler? Guiándose por la luz de la calle, atravesaron el salón y pisaron algunos de los cristales que estallaron bajo sus zapatos. El corazón de Berta latía desbocado. ¿Qué le había ocurrido a su nieto? Si le hubiera pasado algo terrible, no se lo perdonaría nunca.

Albert Zimmer fue el primero en salir a la terraza y allí se tropezó con el jersey de Erik que el señor Adler había dejado caer al suelo en su persecución. El joven lo levantó por una de las mangas ante la mirada preocupada de la abuela. A Berta ya no le cabía ninguna duda. Su nieto estaba en peligro. Aunque quiso ocultarlo, no pudo evitar un gesto de angustia reflejado en su rostro.

Con expresión seria, Albert dejó caer el jersey en el respaldo de una de las sillas de la terraza. Sin hablar entre ellos, los dos se agarraron a la barandilla y se asomaron a la calle. Durante un rato, miraron con atención hacia abajo y se temieron lo peor. Después, respiraron aliviados al asegurarse de que Erik no estaba tendido en la acera. Pero entonces, ¿dónde se había metido?

Cuando estaban a punto de salir de la terraza para regresar a la casa, Berta Vogler se inclinó muy despacio hacia el balcón del vecino. Segundos más tarde, hacía un gesto con la mano para que Albert Zimmer la imitara. El joven se puso de puntillas y miró por encima de la cabeza de la mujer. Descubrieron parte del cristal del balcón del señor Adler hecho añicos. La puerta de la terraza también estaba abierta, pero unas cortinas les impedían observar el interior de la vivienda.

—¡Vamos a llamar a la policía inmediatamente! —exclamó decidida la abuela de Erik mirando a Albert.

Controlando sus nervios, el joven sacó su teléfono móvil del bolsillo, marcó el número y se lo pasó a Berta. Cuando la abuela empezó a hablar para contarles lo que ocurría, una voz femenina, al otro lado de la línea, la interrumpió con aparente calma:

—Ya hemos enviado un coche patrulla a esa dirección. No se preocupe, tiene que estar al llegar. Su nieto nos llamó hace unos minutos.

—No lo entiende… ¡Mi nieto no está en la casa y el cristal de la terraza del vecino también está roto!

—Tranquilícese y esperen a que lleguen los agentes. No tardarán mucho, se lo aseguro. Hasta entonces, le ruego que tenga un poco de paciencia —insistió la oficial.

—¿Un poco de paciencia? —protestó Berta colgando el teléfono antes de devolvérselo a su dueño.

A continuación, agarrándose a la barandilla, miró a Albert Zimmer con intensidad y le preguntó:

—¿Tú te atreves a saltar y cruzar al otro lado?

El joven asintió con la cabeza.

—¡Pues yo también! —afirmó Berta, pasando una de sus botas de montaña por encima de la barra de metal.

Capítulo XXVI

A solas con el señor Adler

Berta Vogler fue la primera en entrar en la casa del señor Adler. Con precaución, entreabrió la cortina de la terraza y se deslizó entre los muebles del salón intentando no hacer ruido. A poca distancia, Albert Zimmer la seguía e imitaba sus pasos. La melodía que ambos escuchaban provenía de una de las habitaciones del pasillo, en concreto, del estudio del señor Adler. Sin hablar, el joven hizo un gesto a Berta para indicarle que iba a internarse en el pasillo, con la intención de dirigirse a la estancia de la que surgía la música de Schubert. La abuela de Erik asintió con la cabeza mostrando su conformidad.

La casa de Adler permanecía a oscuras a excepción de la habitación que utilizaba como estudio y que ocupaba el extremo del pasillo. Aunque su puerta estaba cerrada, por debajo se alcanzaba a distinguir la luz apagada de una bombilla mortecina. Mientras Albert avanzaba hacia el estudio, Berta se aventuraba en la cocina del vecino. Sin encender la luz, la abuela se movía con lentitud entre los muebles de madera, los electrodomésticos y una pequeña superficie de mármol que servía de barra americana, donde el señor Adler solía desayunar.

Entretanto, el disco de *La muerte y la doncella* seguía girando repetidamente en el equipo de música. Albert caminaba cada vez más despacio. Tan solo un par de metros lo separaban de la puerta del estudio del rey blanco. Avanzó varios pasos hasta que su mano derecha alcanzó el pomo de la puerta. Lo giró hacia la derecha con la mayor suavidad que pudo. Después, empujó con las yemas de los dedos.

Del interior de la habitación, se escaparon las notas de los violines de Schubert. Aunque la puerta estaba entreabierta, Zimmer no era capaz de ver lo que ocultaba aquel estudio. Así que se asomó un poco más, empujando la puerta hacia la derecha. Entonces, se quedó paralizado.

Erik Vogler estaba tendido sobre una estrecha mesa rectangular, amordazado, atado de pies y manos e inconsciente por el efecto del cloroformo. En la pared donde se apoyaba aquella mesa, el rey blanco había colgado un corcho de enormes dimensiones que había utilizado en los últimos meses. Albert Zimmer le echó un rápido vistazo y descubrió fotos de los jóvenes asesinados: Conrad Braun, Leo Klein y Sandra Nadel.

Algunas de las fotografías provenían de los periódicos que recogían las noticias de sus muertes o desapariciones; otras, de revistas; y varias habían sido tomadas por el propio señor Adler con su vieja cámara de fotos. Estas últimas eran en color y mostraban, por ejemplo, a Conrad Braun y Sandra Nadel la tarde que se despidieron por última vez a la salida de la biblioteca de Bremen. En otra, aparecía Leo Klein paseando con sus amigos por el parque Bürger. Y en una de las de mayor tamaño, se distinguía a Albert Zimmer caminando por una de las calles del centro de la ciudad. Al verse retratado por el asesino, el joven no pudo reprimir un grito y se dio la vuelta para salir de la siniestra habitación. No se había dado cuenta de que el rey blanco lo estaba esperando detrás de la puerta y, en su intento de huida, chocó contra él.

ERIK VOGLER Y LOS CRÍMENES DEL REY BLANCO

—¡Vaya, qué sorpresa, Albert Zimmer, en mi propia casa! No me lo puedo creer… La verdad es que no te esperaba en Bremen. Te había perdido la pista… No tenía ni idea de dónde te habías metido —confesó el señor Adler sin soltar a su presa.

Comenzó entre ellos un violento forcejeo. El asesino de Bremen intentó acercar el pañuelo mojado en cloroformo al rostro de Albert. Pero el joven lanzó un fuerte manotazo y la tela salió volando para aterrizar a los pies de Erik, que seguía completamente dormido.

A pesar de la corpulencia del señor Adler, el chico reparó en su herida y, revolviéndose entre los brazos que lo intentaban atenazar, le propinó una patada con todas sus fuerzas en la pierna. El rey blanco dejó escapar un grito de dolor y, por un momento, se apartó de Zimmer. Del vendaje de su pierna comenzaba a brotar de nuevo la sangre. Albert se dejó llevar por la contemplación de aquel líquido rojo, descuido que el señor Adler aprovechó para situarse delante de la puerta. Resultaba imposible, en esas condiciones, huir de aquella habitación.

Sin saber muy bien qué hacer, Zimmer se había colocado en el centro del estudio. Trató de moverse hacia un lado y hacia otro para esquivar al rey blanco y lograr escapar. Pero el asesino no cayó en su trampa y se lanzó sobre él. Ambos cayeron al suelo de manera aparatosa.

Un hilo de baba transparente resbalaba por la boca abierta de Erik Vogler, ajeno a lo que sucedía en la habitación.

Albert Zimmer y el rey blanco rodaron por el suelo del estudio. El señor Adler sujetaba a su improvisada víctima por las muñecas y trataba de inmovilizarlo. De pronto, el joven quedó atrapado bajo el peso del cuerpo del asesino. Adler entonces le soltó un puñetazo en plena cara que lo dejó aturdido durante unos instantes. Después, aprovechando su ventaja, agarró de la mesa el cuchillo que tenía reservado para Erik. El rey blanco sonrió maquiavélicamente al observar a su última víctima. Albert acababa de abrir los ojos y contemplaba el arma que sostenía en su mano el criminal.

En el preciso instante en que el cuchillo caía hacia su pecho, Albert se aferró con los dos brazos a la muñeca del asesino para frenarlo. Durante unos segundos, luchó con todas sus fuerzas para distanciarse del cuchillo. La mirada del señor Adler era fría, parecía disfrutar de aquel momento.

Cuando la punta del cuchillo se situó apenas a escasos centímetros del pecho del joven, Berta entró en la habitación de forma sigilosa. La abuela se colocó justo detrás del rey blanco y, sin dudarlo, descargó un tremendo sartenazo en su cabeza.

El asesino de Bremen cayó inconsciente al suelo. Parte de su cuerpo lo hizo sobre Albert Zimmer, que lo apartó lo más rápido que pudo.

—¿Te encuentras bien? —le preguntó Berta al mismo tiempo que lo ayudaba a incorporarse.

—Sí, sí…, no me ha pasado nada.

—¡Erik, Erik! —gritó ella pasando por encima del cuerpo del asesino para dirigirse hacia su nieto—. ¡Erik, Erik! ¿Me oyes? —insistió sujetando su cabeza entre sus manos y quitándole la mordaza.

—Lo habrá dormido con cloroformo, como pretendía hacer conmigo cuando me atrapó —comentó Albert mirando a Berta—. Deberíamos atarlo —propuso, a continuación, refiriéndose al señor Adler—. No podemos correr más riesgos hasta que llegue la policía.

—Me parece una buena idea —contestó la abuela de Erik desatando las cuerdas que sujetaban las muñecas de su nieto—. Puedes utilizarlas con él. Átalo lo más fuerte que seas capaz.

Berta hizo la misma operación con las cuerdas que aprisionaban los pies de Erik. Después, se las pasó a Albert para que terminara de inmovilizar al señor Adler. Entretanto, el disco de Schubert seguía sonando en el equipo de música del estudio.

—¡Erik, Erik, despierta! ¡Despierta de una vez! —gritó su abuela zarandeándolo por la camisa de seda.

Lo hizo con tanto ímpetu que se quedó con un trozo de tela en la mano y la espalda de su nieto cayó sobre la mesa con un golpe seco.

—Tal vez tarde un poco en despertar —le advirtió Albert Zimmer.

—¡Erik, soy yo, tu abuela! —persistió una vez más desoyendo las palabras del joven y utilizando, además, la palma de la mano para sacudir varias tortas en las mejillas de su nieto.

Cinco golpes después, el chico intentó entreabrir los ojos y balbuceó unos sonidos incomprensibles. A pesar del efecto del cloroformo, distinguió la cabellera blanca y selvática de su abuela cayéndole sobre el pecho. Zimmer sonreía a su lado, dejando entrever aquellos colmillos afilados y excesivamente largos que siempre lo habían acomplejado.

Capítulo XXVII

De vuelta a casa

Frank Vogler llegó al aeropuerto de Bremen el sábado por la noche como había previsto. Se subió a un taxi que lo acercó hasta su casa. Mientras pagaba al conductor, se fijó en los dos coches de la policía que estaban aparcados frente al edificio. Un agente bajaba por las escaleras del portal en aquel momento. Con gesto preocupado, el padre de Erik salió del vehículo y se dirigió al policía:

—Buenas noches, vivo aquí —explicó señalando su vivienda—. ¿Ha pasado algo, agente?

Sorprendido por la pregunta, el hombre se paró en el último peldaño de las escaleras y le contestó:

—¿No ha escuchado las noticias? Los informativos no han dejado de hablar sobre el tema desde ayer por la noche. Ha salido en todos los canales de televisión y en las emisoras de radio.

—Lo siento, no tengo ni idea —se disculpó Frank Vogler—. Acabo de llegar de Nueva York. Vengo directamente del aeropuerto y no sé nada… ¿Qué ha sucedido? —insistió.

—Ayer detuvimos al presunto asesino de Sandra Nadel y de los otros dos jóvenes desaparecidos en Bremen, Leo Klein y Conrad Braun —le explicó con calma.

—Perdone, sigo sin entender qué tiene que ver esa noticia con el edificio donde vivo.

—Su vecino, Herman Adler, es el presunto culpable de los crímenes —soltó impasible el agente.

Y consultando un pequeño cuaderno que llevaba en su mano derecha, le preguntó:

—¿Es usted Frank Vogler?

—Sí.

—Un par de agentes lo están esperando en casa, junto a su madre y su hijo Erik.

—¿Mi madre y mi hijo? —repitió sorprendido—. No puede ser, no deberían estar aquí. Me esperaban en Grasberg… ¿Les ha ocurrido algo? —preguntó con gesto serio.

—No se preocupe, señor Vogler, ambos se encuentran en perfecto estado. Pero será mejor que entre en su casa y allí le aclararán todo —le aconsejó el policía cerrando su libreta y bajando el último escalón que lo separaba de la acera—. Mis compañeros le aguardan y le informarán con más detalle. Buenas noches.

—Buenas… noches —acertó a contestar Frank intentando asimilar la increíble noticia que le acababa de dar el agente.

Cuando abrió la puerta de su piso, el padre de Erik se encontró con dos oficiales y con Berta Vogler sentados en el sofá y en las butacas del salón.

—¿Dónde está Erik? —preguntó nada más ver a su madre.

—Está durmiendo en su habitación. Necesitaba descansar —se adelantó la policía más veterana.

—¡Quiero saber qué ha sucedido aquí! —exigió mirando a Berta—. ¿Qué hacéis en Bremen? —preguntó refiriéndose a su madre y a su hijo—. ¡Se suponía que estaríais en Grasberg hasta mañana!… ¿No quedamos en que yo pasaría a recoger a Erik?

—Tranquilícese —le interrumpió el segundo oficial—. Le explicaremos lo que ha ocurrido. Pero será mejor que se siente...

Mientras Frank Vogler escuchaba, con los ojos como platos, el relato de los dos policías y las oportunas aclaraciones de Berta, su hijo dormía bajo el edredón nórdico que tanto había echado de menos en Grasberg. Para que pudiera conciliar el sueño, le habían administrado un calmante. Durante todo el día, Erik había contestado a las preguntas de los agentes y tuvo que detallar lo que había sucedido la tarde anterior, tanto en su casa como en la del señor Adler, hasta que perdió la consciencia por culpa del cloroformo.

Nunca contó a los agentes cómo había descubierto que su vecino era el asesino de los jóvenes de Bremen. Tampoco les confesaría, ni a su padre ni a su abuela, que el fantasma de Sandra Nadel lo había visitado durante sus vacaciones en Grasberg. Todos pensarían que estaba delirando. ¿Quién le iba a creer? También Albert Zimmer y Berta Vogler tuvieron que declarar ante los policías y describieron lo que vieron en casa de Erik cuando fueron en su busca y cómo actuaron, más tarde, al entrar en la vivienda del rey blanco.

Una semana después de la detención de su vecino, Erik llamó a la puerta de Úrsula Rhomer. El joven vestía de negro, llevaba el pelo engominado y unos zapatos nuevos, unos Zafirelli de piel, que sustituían a sus maltrechos Lombartini. Se había enterado por su vecina de que aquella tarde se celebraba un funeral en memoria de Sandra Nadel y había decidido asistir.

Una vez finalizada la ceremonia, se tropezó en la iglesia con Albert Zimmer. El joven lo estaba esperando en la puerta del templo para saludarle y saber cómo se encontraba.

—Hola, Vogler. No esperaba verte aquí. ¿Conocías a Sandra?

—La vi en un par de ocasiones... —contestó vagamente Erik mientras se aflojaba el nudo de la corbata—. Y, tú, ¿qué haces en Bremen? —le preguntó tratando de cambiar de tema.

—Mis padres ya han vuelto a la ciudad. Ya he regresado al instituto y al club de ajedrez. Cuando quieras echamos otra partida, pero sin tu abuela —le sugirió.

Aunque no aceptó la revancha en ese momento, Erik Vogler forzó una sonrisa. Pensó que Albert Zimmer era incansable, y que le seguía pareciendo un joven extraño y misterioso. Se despidió sin ni siquiera estrecharle la mano, esa mano gélida y azulada. También evitó su mirada desconcertante mientras se alejaba en busca de la anciana Úrsula Rohmer. De forma breve, saludó a su vecina, que se había unido a un grupo de amigas vestidas de riguroso luto que la esperaban junto a la entrada de la iglesia. Por último, el nieto de Berta se abrochó el último botón de su abrigo, se colocó un pañuelo de cachemir alrededor del cuello, salió del templo y emprendió el camino de vuelta a casa.

Erik no volvió a encontrarse con el fantasma de Sandra Nadel ni en Bremen ni en su siguiente visita a Grasberg un tiempo después. Le pidió a su abuela que ese fin de semana lo alojara en una habitación diferente a la que había ocupado la última vez. También exigió dormir con su padre. Y, a pesar de compartir el dormitorio con él, se pasó gran parte de la noche observando por el rabillo del ojo los cristales del balcón. Solo consiguió conciliar el sueño más allá de las cuatro de la madrugada.

Herman Adler, por su parte, ingresó en prisión preventiva a la espera del juicio por la muerte de Conrad Braun, Leo Klein y Sandra Nadel, por el secuestro de Erik Vogler y la tentativa de asesinato de Albert Zimmer. Desde la cárcel de Bremen, el rey blanco se preguntó, en más de una ocasión, cómo habrían llegado los versos de Goethe al bolsillo del abrigo de su vecino y por qué el hijo de Frank Vogler sospechó de él aquella tarde. A fin de cuentas, él solo le preparó una infusión y puso un disco de Schubert.

ERIK VOGLER

I — ERIK VOGLER Y LOS CRÍMENES DEL REY BLANCO

II — ERIK VOGLER EN MUERTE EN EL BALNEARIO

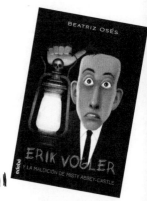

III — ERIK VOGLER Y LA MALDICIÓN DE MISTY ABBEY-CASTLE

IV — ERIK VOGLER Y LA CHICA EQUIVOCADA

V — ERIK VOGLER SIN CORAZÓN

VI — ERIK VOGLER Y EL SECRETO DE ALBERT ZIMMER

VII — ERIK VOGLER JAQUE MATE

VIII — ERIK VOGLER LA VENGANZA